글쓴이 **명랑** · 그린이 **청설모**

# 5

**초판인쇄 :** 2024년 04월 26일
**초판발행 :** 2024년 05월 03일

**글 쓴 이 :** 명랑
**그 린 이 :** 청설모
**에이전시 :** 네이버웹툰 유한회사

**편　　집 :** 천강원, 임지나, 김도운, 김동주, 윤혜인
**디 자 인 :** 이종건, 신다님, 최은정

**펴 낸 이 :** 황남용
**펴 낸 곳 :** ㈜재담미디어
**출판등록 :** 제2014-000179호
**주　　소 :** 04035 서울특별시 마포구 월드컵로 8길, 48
**전자우편 :** books@jaedam.com
**홈페이지 :** www.jaedam.com

**인쇄·제본 :** ㈜신우인쇄
**유통·마케팅 :** ㈜런닝북
**전　　화 :** 031-943-1655~6 (구매 문의)
**팩　　스 :** 031-943-1674 (구매 문의)

**ISBN :** 979-11-275-5331-9 07810
979-11-275-0036-8 (세트)

# 차례

이 책은 < 네이버웹툰 > 연재분 중 51화부터 65화까지의 내용을 편집했습니다.

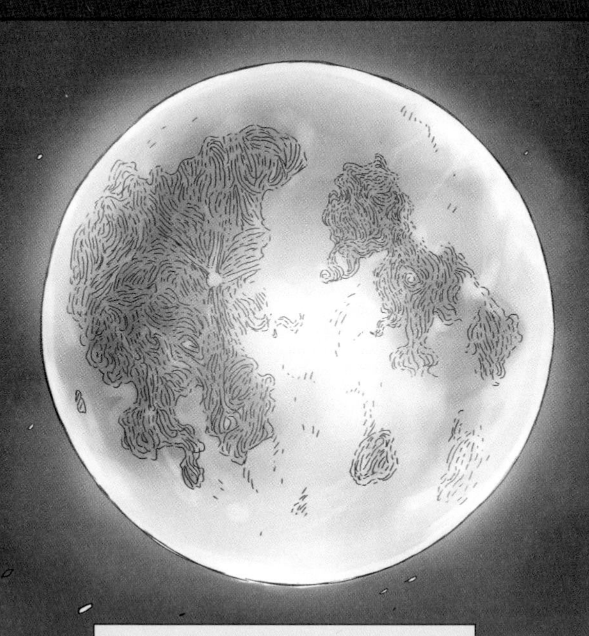
제자의 눈물을 닦아준 그날 밤.

끼릭
끼릭
끼릭
드르륵

마법사는 다락 서고 구석에 놓인
낡은 책장을 열었다.
파아아
오래전,
고민 끝에 쓰기를 그만뒀던
낡은 서록을 꺼내든 그는
슥
긴 세월 간
자신이 써내려갔던
운명의 흔적들을
되짚어보았다.

쿠
구
구
구
쿠궁
쿠궁

쏴아아아

콰악

크흑!!
콰
각

…멜른!?
자네가…
왜?

…부질없는 짓이야.
랑데르.
막는다한들…
악의 파생은 무한히
반복될 뿐이다.

이게 네가 쓴
이야기의
결말이야!!

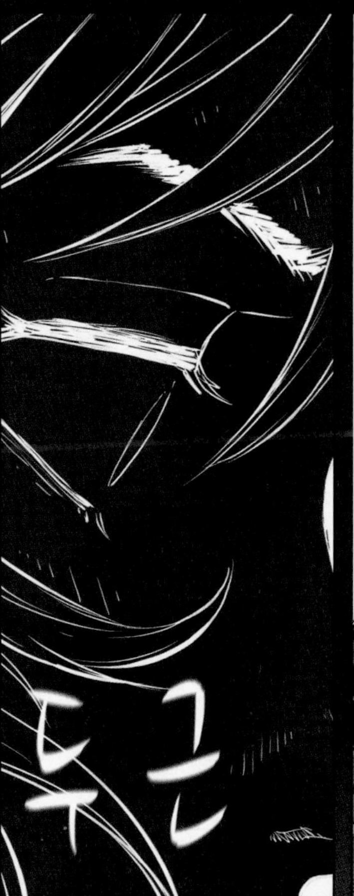
두근

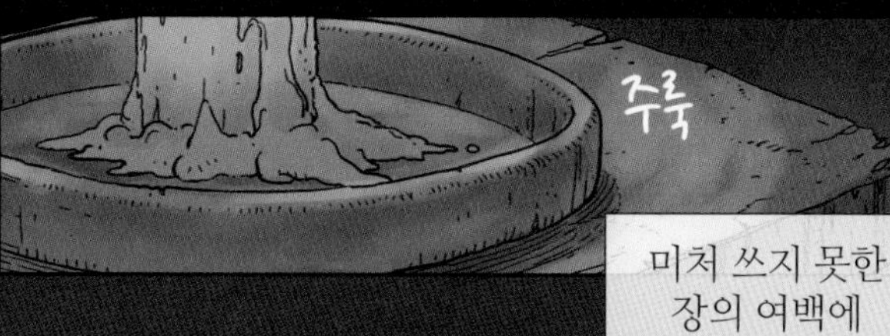
주룩
미처 쓰지 못한
장의 여백에

오랫동안
시선이 머물렀고
그저 후대의 누군가가
자신이 깨달은 만물의 이치를
되새기고
떠올리며 다시 쓰길
수없이 반복했다.
사락
발견한 모순과 오류를
반복하지 않길 바라는 마음에서
썼던 글이었건만

탁
모든 것이 잘못되었고…
…모든 것이
그의 뜻대로 되었다.

스륵
무한히 자애로운 제자는
자신과 같은 냉담의 길을
걷게 될 것이다.
그 맑고 영롱한 눈은
스스로 놓친 사랑을
평생 갈구할 것이고
포옥

채우지 못한 결핍은
다시금 악의 심장을
깨울 것이다.
스윽
그로 인해 대륙에는
다시 공포가 내려앉을 것이고,
마왕은 결국
온전히 부활할 것이 자명했다.

죽지 않는 존재를
벌함으로써 얻게 될
평화치고는
하룻밤 꿈과 같이
허망하고
짧은 시간일 테지.

…허나
너를 만나고
모든 것을 알던
나는 알 수 없는 것
투성이가
되었으니…

…마땅한
일이다.

툭

마법사는 문을 나서기 전
다시 돌아오지 못할
집 구석구석을
눈과 마음에 새겼다.

탁
엘프의 왕에게
짧은 서신이 도착한 것은
그 직후의 일이다.

아벨라
엘프성
농담이라면 그만두시지요.
내일이 당장 비비안의 혼인식입니다.
하루 전 신전에 당도하여 축복을 버는 것은 오랜 관습이자, 부모된 자로서의 도리이고 의무입니다.
저벅
유노.

유노 아르고
비비안의 유모
하물며 엘프의 왕께서 관습을 깨면서까지 외출을…
저벅
저벅
…그것도 인간 마법사를 만나러 가신다니요?
농담이라니~ 난 늘 진실만을 말한다오.

듣자하니
대륙 남부 지역에
마왕군의 난동으로
피해가
크다하더군요.
인간들의 제국이란
늘 그리 흥망성쇠
하는 법이지.
여섯 개의 왕국이
동맹을 맺고
백만 군사를 집결하여
대항하였으나
그마저도 파멸을
면치 못하였다지요.
저벅
저벅
저희와는
상관없다는 말씀을
드리는 것입니다.

행여 그 마법사와
작당모의하여
관여라도 하실
생각이라면…
…맹세컨대

다신 저를
보지 못하시게
될 겁니다.

툭
유노…
내 아내, 베스타의
가장 가깝고도
유일한 친구였던
그대가
그녀의 죽음
이후에도 내 곁에
남은 것은 내가 얻은
가장 큰 축복이오.

하나뿐인 나의
사랑스러운 딸, 비비안을
친모처럼 키워준
그 애정 또한
베스타와의
진실한 우정에서
비롯된 것이라는
것도…

내 얼마나
지치고 바쁜 일상을
보내고 있는지
알 것이고
슥
그런 그대이기에
더욱 잘 알지
않소?
마법사인 그 친구가
내게 어떤 의미를
가지고 있는지도
잘 알 테지.
꾸욱
엘프들이
통합된 땅을 갖고
이리 평화롭게
살 수 있었던 것
또한…
…너무
잘 알고 있어
문제지요.
작년
노아의 달이 뜬
이후로 한 번도
만나질 못했어.
그저
푸념이나 늘어놓는
오랜만의
회우일 뿐이오.

비비안에겐
적당히
둘러대주시게.
저벅
너무 늦지 않게
돌아오겠소.
맹세하지.
저벅

저벅
저벅

부디…
…그 맹세를
지키시길.

현재
뭐라!

지금 뭐라고
하셨습니까?
유노.

얼어붙은 장벽을
두르고 인간들과
등을 진 채 역사를
쌓아온 저희지만
언젠가
이런 날이 올 것이라
누구보다 일찍이
알고 계시지
않았습니까?

엘프의 왕이시여.
그 분노를
가라앉히십시오.

내 손으로 직접
그들을 멸하지
않는 것은
인간들을 향한
아버지의 연민을
알기 때문이오.
비비안
벨라토리오
엘프의 왕
그 분노를
내 안에 가두고
삭힌 것이지,
관용을
베푼 것이 아니란
말입니다!!
덕분에 냉기만이
남은 이 땅에
직접 발을 들이는
것도 모자라
꽈악
또다시
내 혈족의 목숨을
위협하다니…

아둔하고 뻔뻔한
족속입니다.
선대왕께서도
그리하여 그들에게서
늘 연민을 거두지
못하셨지요.

척

쥬피터를
직접 동반한
그 파렴치한
마법사의 이름이
뭐라 하였소?

라시아…
휘
이
이잉

…마법제
라시아 가스파르라
합니다.

일찍이 변신술과
강화술을 초월하여
전투에 능한 술사로
인정받았으며
꽈득

무려 세라프의
두 번째 제자가
된 자이지요.

정령을 다루는
마력의 정도가
엘프에 못지않으니,
얕잡아볼 상대가
아닙니다.
제가
상대할 테니
크르르
주인께서는
그 실력을 가늠하여
보시는 편이…
웬더 코야이
사역마

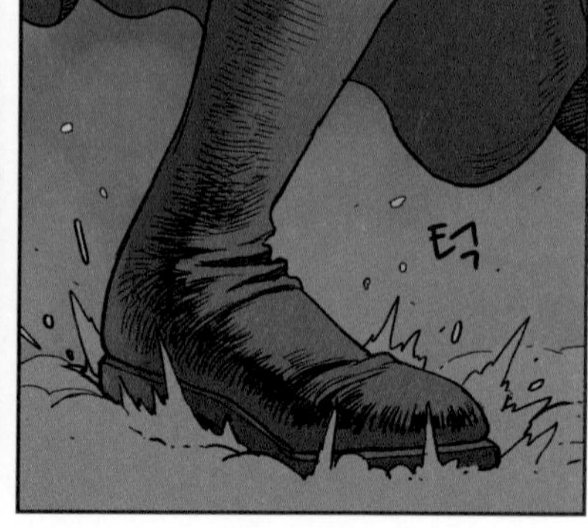
턱

코야이…
나의 맹세를
듣지 못했나?
지금부터
그 누구도 허락 없이
내 앞에 나서지 마라.

명을
어기는 자는
나의 명예를
걸고
참할
것이다!
허나
주인이시어…

포보스.
화악

화르륵

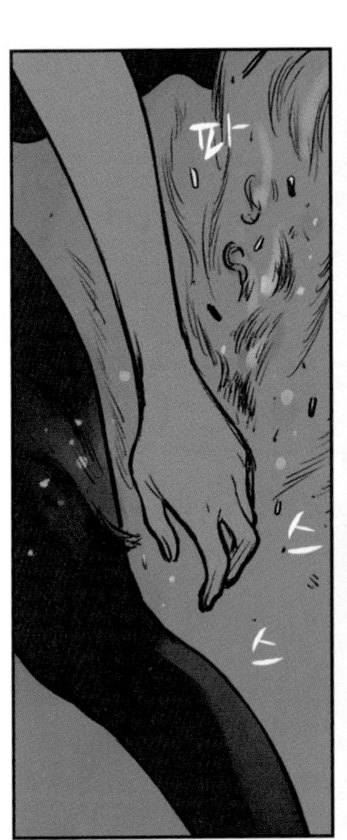
파
스
스

터억

스승님!
대화로 충분히
해결할 수 있습니다!!
굳이 이런
도발까지 하실
필요는…

내가
이곳에 온 것은
선대의 오해를
풀고자 함이
아니다.

……
하물며 오랜 오해와
적대감은 말로 풀 수
있는 것이 아니지.

타앗
파
앙

물러서라,
나의 제자.
사박

달려드는 적의는
이미 그대의 혈육이
아니다.

파
아
아
아

마르스!!

타오르는 창.

차아아악

콰
아
아
아

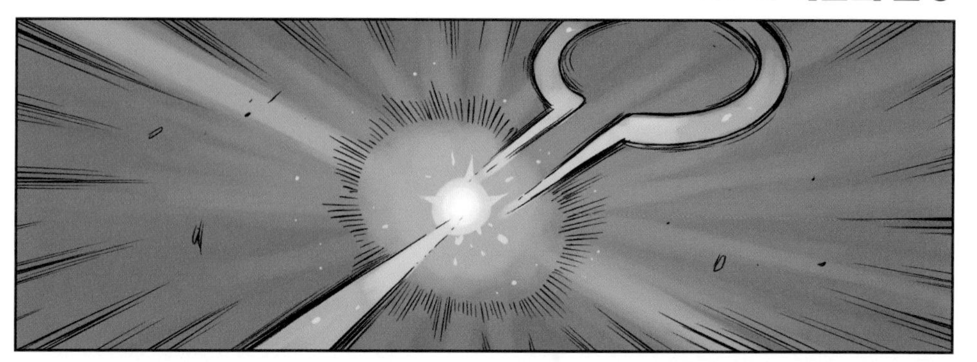

콰
콰
광

위… 위험하다.

쿠
구
구

파스스
스승님…
파스스

콰앙
쾅

정령끼리의
힘이 온전히
부딪혔다!
제아무리
마법제라
하더라도 방금의
공격은…

아니…
…전혀 먹히질
않았다.

후드득
후둑

슈우

카앙

부
웅

턱

파
앙

죽어라!

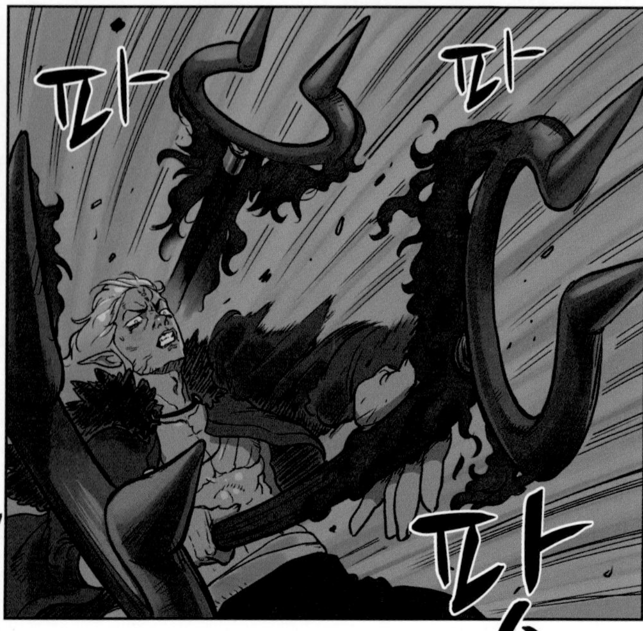
파
파
파앗

불의 검.
화르륵

챙
콰앙
캉

부딪히는
순간마다
무력화된다.
어째서…?

타
아앗

제길…!!

슈
욱

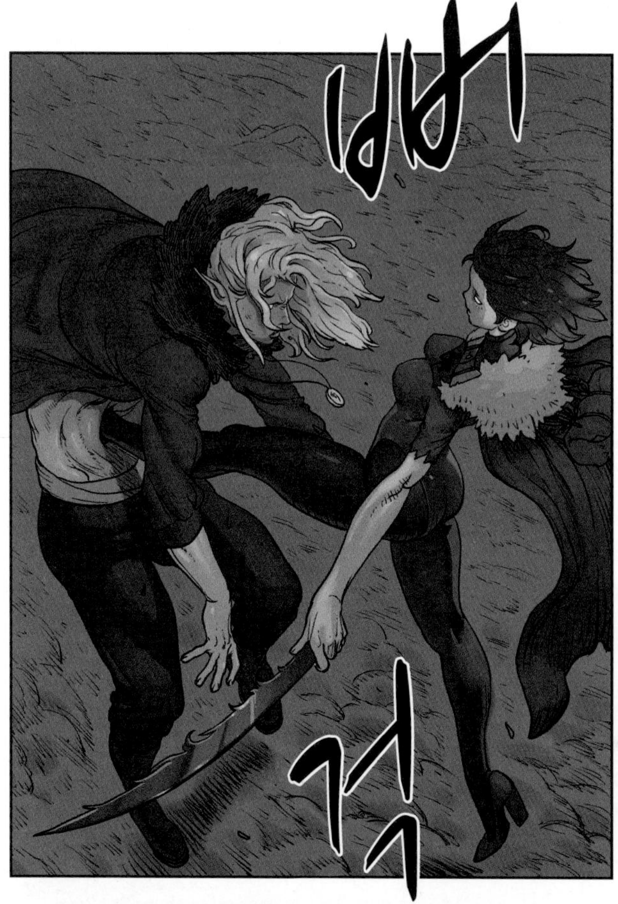
걱

쿠당탕

!

...

쿵

왕자여…
볼모로 잡히기 전, 그대가 목숨을 잃을 수도 있다.

크흑…
…어째서냐?
충분히 벨 시간이 있었을 텐데?

계속할 텐가?

고정하시옵소서!
고작해야 마법사 한 명이 외곽의 장벽을 넘은 것뿐입니다!
왕자 마르스가 이끄는 파수들이 출병하였으니 그마저도 목숨을 부지하긴 어려울 터
굳이 왕께서 직접 나설 필요까지는…
안일하게 대처할 일이 아니다.
대신들 또한 마왕의 기운이 감지되었던 지난밤,
마법사들의 섬이 흔적도 없이 사라진 사실을 알고 있겠지?

이후 사라진 것은 세라프의 기운도 마찬가지.
그녀가 직접 맹세하고 지켜왔던 6백 년간의 조약은 이미 깨졌다.

인간의 파멸은 이미 오래전 예언된 운명.
그것이 틀어진 것은 그저 관조했어야 할
현세와 명부의 결계를 초월한 신성들의 개입 때문이야.

뼈아픈… 희생에도 불구하고
그 누구도 감사하거나 영혼의 안식을 노래한 자가 없었다.
또다시 순리를 어기려는 교만한 저들의 발악을
쿠웅
더이상 지켜봐 줄 수가 없구나!

근위대를 소집하고 봉인된 수호수를 모두 깨워라!!
내가 직접 지휘할 것이다!!

금단의 구역에
뛰어든 혈혈단신의
마법사라니
그 노력이 제법
가상하지 않습니까?
어머니.
끼이익

수호수는
고대에 봉인된
엘프 정령들의
수호자.
멸족의 위기에
봉착하지 않는 한,
통제되지 않는 그 힘을
깨우지 않는 것이
원칙입니다.

느끼시는 불안감이
마왕의 봉인석
때문이라면 더더욱
왕께서는
그것을
지키십시오.
저벅
싸우는 건…

…저희가
하죠.
비너스
장녀
머큐리
장남

꾸드드득
네게 목숨을 구걸한 적 없으니
나의 의지를 모욕 말라!
콰악

데이모스.

쿠귀 웅

날 베지
않고서는
네놈 역시
이곳에서
살아나갈 수
없을 것이다!

콰
캉

휘릭

콰
앙

타앗
받은 치욕감은 배로 갚아주지!

슈
슈
슈

캉
챙
카앙

챙
카앙
캉
챙

카앙

화악

툭
쾅

꾸드드득

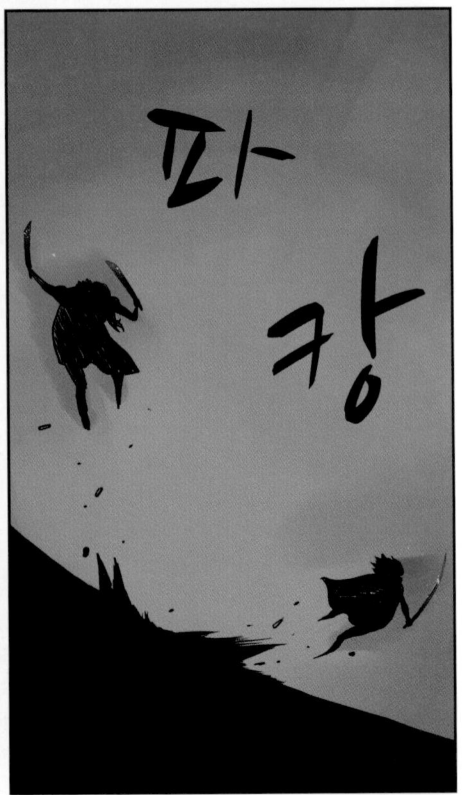
파
캉

콰곽

끼
기
기
긱

퍼
퍼
퍼엉
퍼

쿠
구
구
구

팟

끝이다!!

무장.

터억

붕괴.

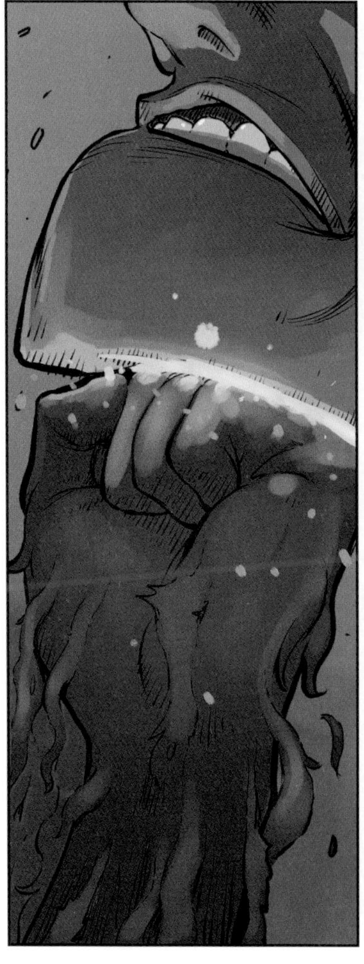

쩌엉

불굴의 채찍.

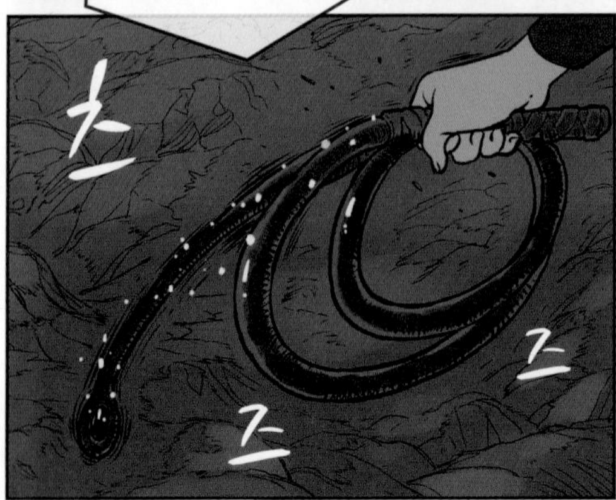
츠
즈
즈

촤
락

휘리릭
콰악

꽈드드득

패앵

연소.

파-
앙

쿠웅

저의는
충분히 알겠으니
부디 그만두십시오.
적어도 살의를 둔
전투는 아니질
않았습니까?

척

그대는 방금
내게 주인의 목숨을
빚졌다.

목숨 대신 왕께
나를 안내하라.

파멸의 군주가
제 몸을 찾으니
한시가
급하다.

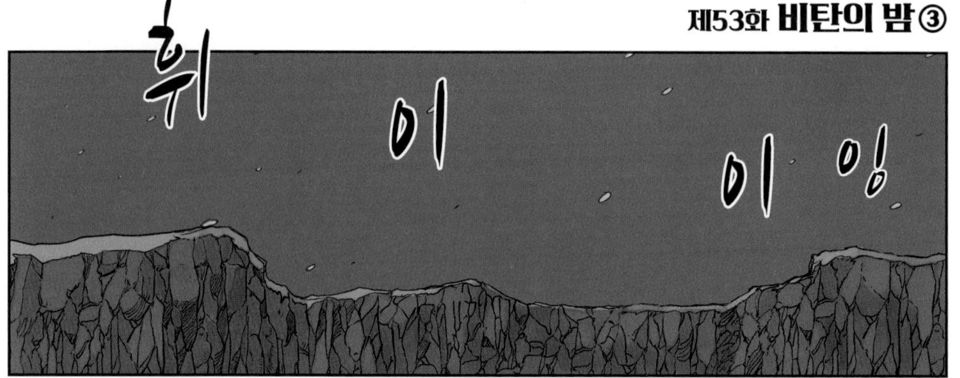
휘
이
이 잉

안심들 하시오.
살펴본 바, 마력을 모두 소진하여 정신을 잃으신 것뿐
생명엔 크게 지장이 없소.

주인의 맹세에 따라 내가 저들을 성안까지 안내할 것이니
모두들 자리로 돌아가 파수의 임무를 다해주시오.

하… 하지만

…파수의 임무는
그 어떤 자라도
이 장벽을 넘게 해선
안 되는 것이네!
그것이
인간이라면
더더욱…

모두들
직접 두 눈으로
보지 않았소?
혹여 주인께서도
하지 못한 일을 할 수 있다
말하는 것이라면
그렇게 하시오.
……

허나 그것이
주인의 명예에
먹칠을 하는
행동이라면
보고만
있을 수 없는
노릇…

그때는 나 또한
내가 할 수 있는 것을
하겠소.
슥

처억

역시 저는…
푹
…근심이 드는 것이지?

스승님.
툭
툭

스승께서 살의를 두지 않고 임하신 것은 잘 알지만…
저 정도의 마력을 소진하면
치유의 도움 없이는 쉽게 움직일 수 없을 겁니다.
정신이 강한 자니 금방 회복할 것이다.

지체할 수 있는 시간이 많지 않다.
네가 할 수 있는 한의 도움을 주거라.

쿠웅

성까지 안내할 테니
부디 주인의 치유를
부탁드립니다.

선택한 주인 외에는
등에 태우지 않는 것이
저희 원더의
신념입니다만…
…오늘만큼은
예외로
하겠습니다.

늦지 않게
따르겠습니다.

끄덕

슈우우우
그걸
들여다본다고
뭐가 보이긴 해?

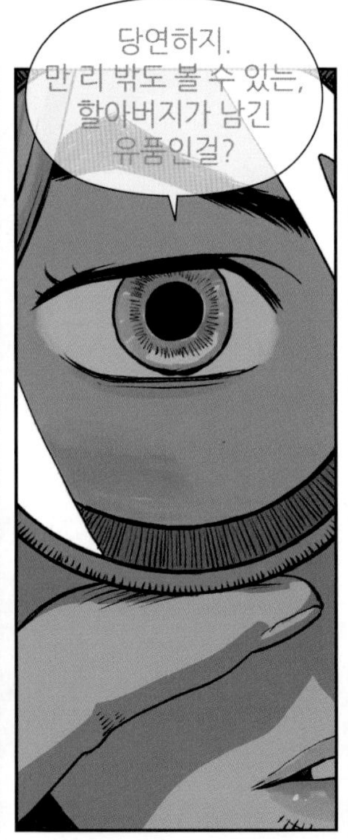
당연하지.
만 리 밖도 볼 수 있는,
할아버지가 남긴
유품인걸?

네오피테에서
불길이 치솟는 건
오랜만에 보는 광경이라
반갑기까지 했었는데…
…어째
볼거리는 이미
끝난 것 같아.

그러게
서두르자고
했잖아!!
버럭
엄마의 잔소리는
아무리 들어도
끝이 없다고!!
적당히 끊고선
나왔어야지.
맞장구치면서
시간을 끈 건
그쪽이었어.

슥
우리 셋째 녀석, 괜찮을까 모르겠네?
다행히 죽지는 않은 것 같다만…

…졌다고 확신하는 말투네?
타악
마르스는 강한 녀석이야.
나름의 실전 경험도 많다고.

자존심이… 좀 강하긴 하지.
여태껏 싸움질을 위해 원더를 타고 다니는 놈은 엘프 중에 녀석이 유일하니 말이야.

앗! 원더에게 선택받지 못한 열등감.
아니야!!

…목적이 뭔데?

마땅히 근위대가
해야 할 일을
직접 하겠다고 나선
그쪽의 목적.
더군다나
허락도 없이
애먼 나까지
끌어들이고…
짜식이~
오빠한테 항상
그쪽이 뭐냐?
그쪽이!!

…그리고 어차피
가자고 하면 같이
갈 거면서 허락은
무슨~

그쪽은
인간들에게 딱히
적대적인 사상도
없거니와
싸움이라면
질색이잖아.
마르스와는
달리…
누가 진짜로
싸우러 간대?

그럼?

저벅
지난 6백 년간
어머니께서는
장벽을 치고
인간들의 왕래를
금지시켰어.

그 덕에 우린 태어나서 단 한 번도 장벽 너머의 세상을 본 적이 없지.
그런데 책과 상상 속에서나 봐왔던 존재가 보란 듯이 직접 찾아왔잖아.

인간…
…심지어 마법사라니

그만한 구경거리를
내가 놓칠 리가 있냐?

……
국본이란 자가 어쩜 이리 가벼울까?
하아~

여기들 계셨군요!
척

준비는 모두
마쳤습니다!
명을 받들어,
성내 최고의
마법사들과
저를 포함한
정예 군사들이
두 분을 호위할
것입니다!
호프
근위대장

왕께서 직접
하명하신
일입니다.

…난 그런 호위를
명한 적이 없는데?
긁적

그리고
명이 없다 한들 국본의
안위를 지키는 것은
근위대의 의무이자…

…아, 아
또 잔소리~
그 의무는
다음…
스윽
…다음 기회에
듣도록 하지.
촤
아
악
저하!!

퐁
끄응.
뭣들 보고만 있나!?
서둘러 뒤를
쫓지 않고…
…

그러니까
그게…
어… 어디로
말입니까?

휘
이
이
이

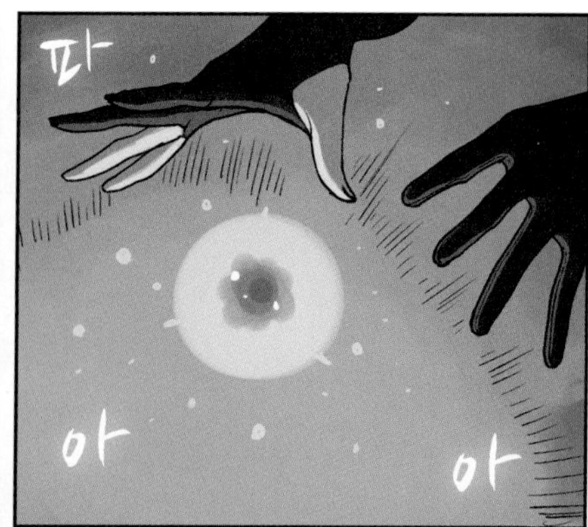
파
아
아

크…흑

스륵

뭐하냐?
너…

마력을 과하게
사용하셨습니다.
…
스
스
스
스
몸이
버티지 못하는 건
당연한 이치.

초월은 하지 못했어도
기본적인 치유마법은
다룰 수 있습니다.
스
스
스
이곳은 다행히
제가 자란 정령의
고향이기도 하고요.

그런 걸
묻는 게 아니다.
왜…
네가 나를

절 변절자 정도로
생각하고 계실진
몰라도
오라버니는
여전히 제게
소중한…
스
스
스
…형제니까요.

……

넌 어릴 적부터 상대를 비참하게 만드는 재주가 있었어.
휙

전공으로 택하여 초월한 마법이 강화술입니다.
상대의 잠재력을 강화시키는 마법이지만, 오히려 약화시킬 수도 있어요.
듣고 보니 어릴 적 재주가 그런 곳에 쓰였나 봅니다.

그딴 농지거리를 표정 하나 바꾸지 않으며 하다니…
혈육인 건 분명하군.

피식

유사시를 대비하여 챙겨둔 론이 있습니다.
마나를 채우기엔 부족하지 않을 겁니다.
뒤적

인정하고 싶지 않다만
꾸욱
인간인 네 스승은 꽤 강하더구나.

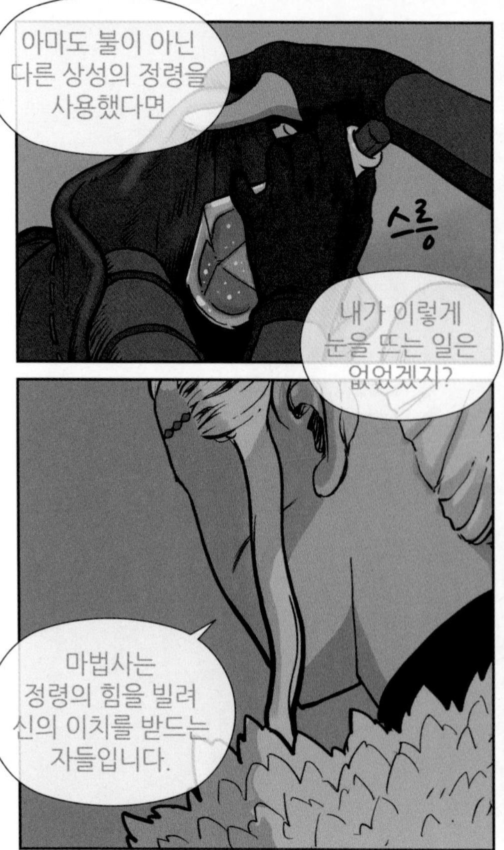
아마도 불이 아닌 다른 상성의 정령을 사용했다면
스릉
내가 이렇게 눈을 뜨는 일은 없었겠지?
마법사는 정령의 힘을 빌려 신의 이치를 받드는 자들입니다.

그것으로 인과율이 어긋나는 모순이 일어날 순 있지만
순수의 결정인 정령의 힘으로 살의를 품는다는 것은 있을 수 없는 일이에요.

애초에
죽일 마음이
없었다?

타악
기분이 더
더러워졌어…

만물의 이치를
깨우친 인간의
대마법사가
엘프 선대의 왕을
해쳤다는 역사가
꿀꺽
꿀꺽
과연
한 치의 왜곡도 없는
사실일까 하는
의구심 말입니다.

그럼에
더욱 의구심이
짙어졌습니다.

주르륵
그들의 속내를 모두 안다고 착각하지 마라.
하아-

네가 보고 들은 것 이상으로 나도 인간들의 역사를 보고 들으며 자랐다.
그들은 얄팍하고 탐욕스러우며
권모술수에 강한 자들이야.

겉으론 선의를 내세우며 신을 추앙하지만
텅

그 내면은 언제나 악으로 가득차 있지.

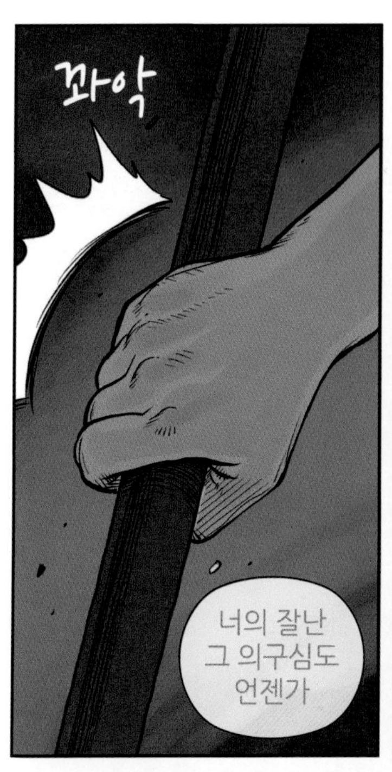
꽈악
너의 잘난 그 의구심도 언젠가

그들의 악의로 인해 비탄이 될 것이다

그엉
그어엉
그엉

부디 그것이
오늘밤은
아니길…
척

그어어
엉

마법사랑해

쿠웅

타닷
탓

이곳이
오스테온 신전으로
이어진
성까지 갈 수 있는
가장 빠른 길입니다.

타악

파수들에게만
그 입장이
허용되어
외부인에게
개방은커녕
접근마저
불가하지만
저벅

주인의 맹세를
전한다면 왕께서도
이해해주실 거라
믿습니다.

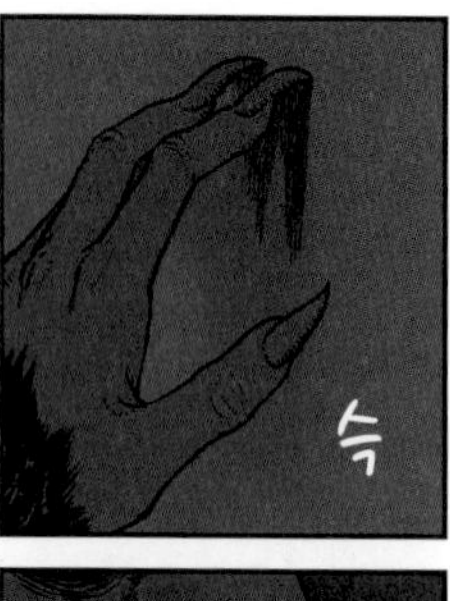
슥

파사삭

구
우
우
웅

들어선 순간부터는
정령의 힘마저도
미치지 못합니다.
스
스
스
마법제니 더욱
잘 아시겠지만…

알고 있다.
선대의 왕인 멜른이 창조한 시간의 통로.
실제로 보는 것은 처음이지만…

외부와의 시간과는 열두 배나 차이가 나게 흐르고 있죠.
구웅
구웅
구웅
이틀 가까이 전력으로 달리면 해가 뜨기 전까진 신전에 도착할 수 있을 겁니다.

스 스 슥
그렇지 않고서야 사흘은 넘게 날아야 갈 수 있는 먼 거리지요.

쿵

해가
뜨기 전이라…
슥

아니, 더 빨리
도착해야 한다.
녀석이
가까이에 있어.

왕께서 직접
하명하신
일입니다.

그리고
명이 없다 한들 국본의
안위를 지키는 것은
근위대의 의무이자…

…아, 아
또 잔소리~
그 의무는
다음…

…다음 기회에
듣도록 하지.
스윽
!?

저하!!
촤
아
악

…

얼레?

슈
우
웅

조금 늦은 질문이란 건 아는데
이동을 해도 왜 하필이면 이딴 허공으로 하는 거야?

정확히 말하면 이동을 한 게 아니라 공간을 소환한 거다.

새턴에게서 배운 소환마법인데
휘릭
정확한 좌표를 설정하는 것이 꽤 어렵더군.

……
슈
우
우
…아직 서툴단 소리를 뭐 그리 장황하게 해?

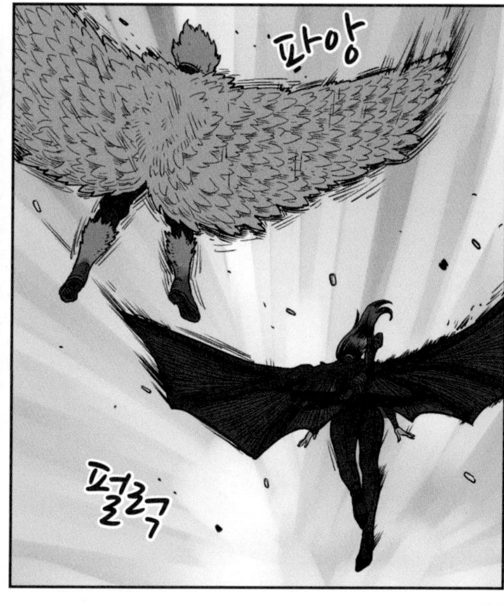
파앙
펄럭

그래도 선물로
만들어준 망토가
꽤나 쓸 만하지?
슈우
이런 일을 대비한
오라버니의 예지력에
딱히 감탄할 필요까진
없다.

…그러게.
이 꼴사나운
망토를 진짜로 쓰게
될 줄은 몰랐네.

넌 칭찬에
참 인색해,
비너스.
…

탄식의 섬이
보이는 걸 보니
그래도 꽤 가깝게
떨어졌어.
동쪽의
장벽까지는 이대로
날아서 금방…
슈우우

…?

잠깐!!
끼익
!?

뭐지?
저 불타는 곳
설마…

…룬 밭이야?

화르르륵

더워…
부스스
탁
…웬
소란이에요?
불이야!
…?
불이다!!
론 밭에
큰불이 났어!
허둥
지둥
물을
길어 오거라,
최대한 빨리!!

에이~
할아버지
농담도 참…
후아암
아무리 룬 밭이
냉기의 영향을
받지 않더라도
이 밤중에 불이라뇨?

화악
흰소리가
아냐!
서둘러라!

둥

크르르

아…

텅
텅그렁

아, 아…
털썩

할아버지?
…안 돼!
나오면 안 돼!!

도망쳐
!!!!

!!
까악
덥석
할아버지!

꺄아아악!!

화재라니…
그게 지금
무슨 소리인가!?
북쪽
정찰대로부터 받은
전갈입니다!
론 밭에 원인을
알 수 없는 불이
순식간에 퍼져서

말도 안 되는
소리…
그곳은
유노의 마법으로
기후 변화가 일지 않는
유일한 곳이거늘.

대장님!!
큰일났습니다!
척억
뭐가 또
큰일이라는
거야!!

남쪽 성벽에
마물들이 몰려들고
있습니다! 당장
지원을…

으이익

쿠
구
구
구
도망쳐!!
꺄아악!!

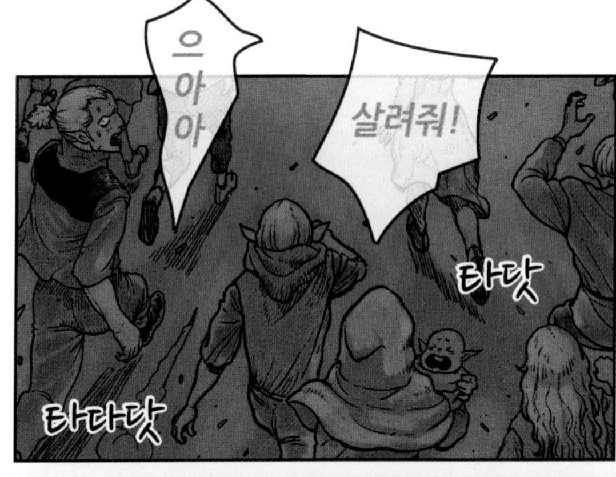
으아아
살려줘!
타닷
타다닷

파
샤
샤삭

쿠과광

대체 이게 무슨…
…마을로부터 쫓겨 온 자들이 한둘이 아닙니다!
근위대에 지원을 요청하긴 했지만
서쪽 외곽은 이미 감당이 안 되는 수준이라…

성문을 열어라.
우선 백성들을 성안으로 대피시켜!
…하지만 지금 문을 개방하면 성안까지…

접근하는 마물들은
우리 근위대가
맡을 것이다!
호프 대장!
두
두
두
수비대는
엄호를
부탁하네!

끼기긱
백성들의
안전을 우선으로
한다!!
마물들의
접근을
저지시켜!!

꾸구국

파
바
밧

쿠구궁
쿠웅
피바람이 불고…
왕께서 비로소 눈을 뜨니
중얼
…붉은 달이 뜨는 밤.
새턴 벨라토리오
막내

엘프의 땅이 이내 비탄에 잠긴다.

와아아~
여기구나.
네가 늘 내게 보여주고 싶어했던 페어리의 숲이…
예쁘다.
이 작은 요정들은 엘프가 아닌 종족에게 몹시 적대감이 강하다지?
직접 내려가서 볼 수 있는 방법이 없다는 게 조금 아쉽네.

물러서십시오, 마마! 절벽이 가팔라 위험합니다!!
위험하긴! 그럴 거면 왜 오자고 했어?

그리고
그 마마 소리 좀
그만둘 수 없어?
친구인 너까지
날 그렇게 부르는 건
듣기 민망하다고.

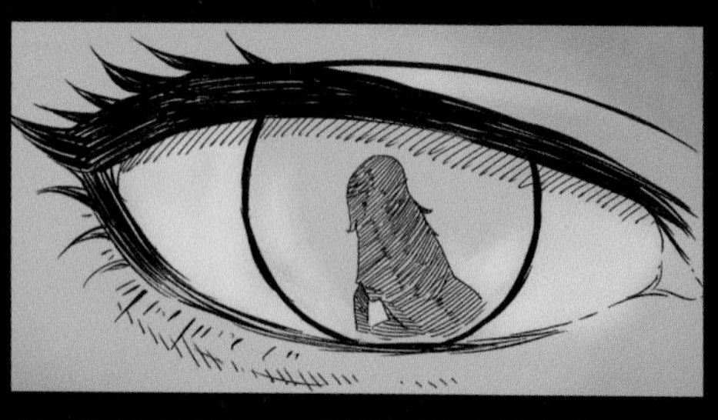

피식
하지만 이제
어엿한 엘프들의
왕후이신걸요.

앗!
유노!
내가 방금
뭘 발견했는지
알아!?

바라 꽃이야.
내가 가장
좋아하는…

기억나? 내가 처음
네오피테에 왔을 때
네가 줬던 꽃이잖아.
페어라 숲
절벽에서만 핀다더니
진짜였구나.
비비안에게
가져다주면 분명
좋아하겠지?
어째서인지
몰라도
이 꽃을
볼 때마다 방긋
웃더라고…
슥

알겠으니까
제발 그만 뒤로
물러나시라고요.
…위험합니다.
어서 이쪽으로.
하여튼
잔소리꾼~
알았…
마마!

마아!!

유노!!
베스타!!

그날도…

…어머니께서
떠나신 그날도
노아의 달이
떴다지요?

심려를 그만
거두십시오.
호프가
이끄는 근위대는
대륙 어느 군사들보다
용맹하고 강합니다.

하필이면 오늘
마물들의 난동이
일어난 것도
붉은 달에 얽힌
저주 탓일까요?

저벅
어찌 제 앞에서 그런 말씀을 하십니까?

악의를 품은 마법사가 금기를 어기고 신성한 땅에 사념체들을 풀어
저벅
왕의 심란한 마음을 파고들며 혼란을 야기하는 것뿐입니다.

그저 인간의 탓입니다.
스륵

세자가 친히 그 파렴치함을 벌하러 떠났으니
신념을 굳건히 하시고 기다립시오.
저벅

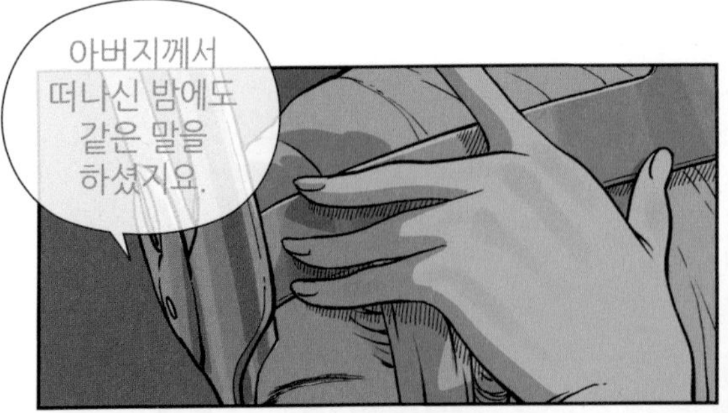
아버지께서
떠나신 밤에도
같은 말을
하셨지요.

그저…
기다리라고.
슥

사르고 사무치는
인간들을 향한 원념을
이해합니다.
어찌 보면 저보다
애절하고 절절하게
선왕을 기다린 건
유노였을 테니까…

실로
고백하건대
탁
더는 자신이
없습니다.

저를 키워준 유노의 마음과 대신들의 지지를 등에 업고
이 땅을 지킬 자신이
제겐 없습니다.

지금 무슨 말씀을…

애초에 제게도

어머니와 같은 인간의 피가 흐르고 있으니까요.

비비안!

왕언을
가리십시오!
터억

듣는 이가
있을까
두렵습니다!

단언컨대
소인은…
인간의 자식을
키운 기억이
없습니다!

비비안의
어미는
꼬옥
저 유노,
하나입니다.

……

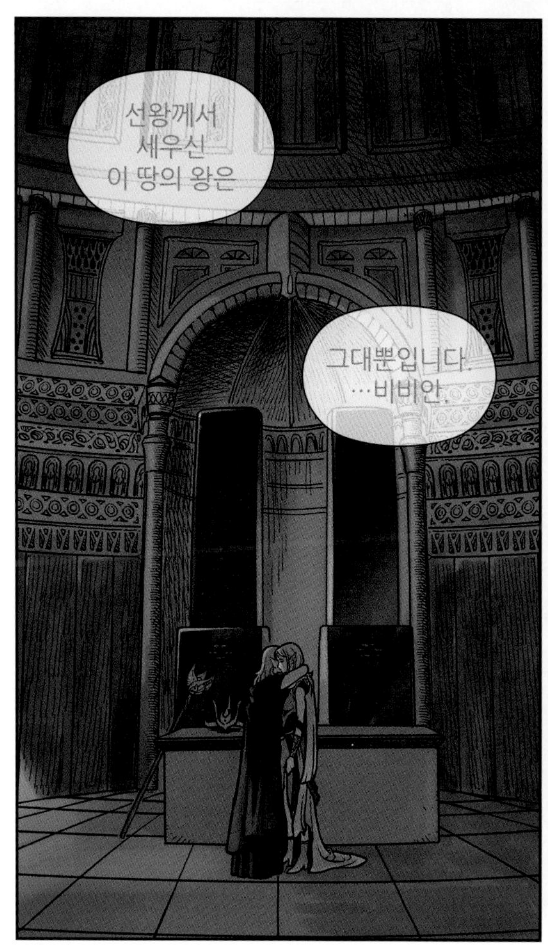
선왕께서
세우신
이 땅의 왕은
그대뿐입니다.
…비비안.

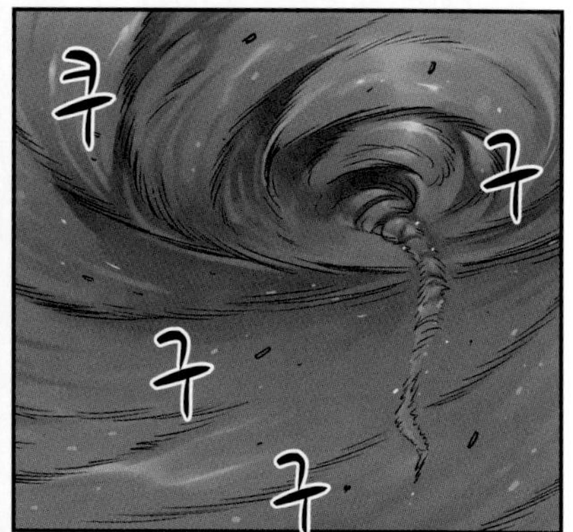
쿠
구
구
구

톡

퍼
엉

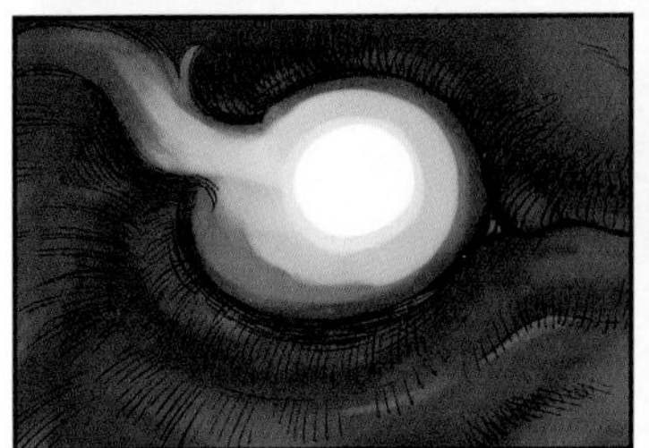

후두둑
꺄
악
쿵
쿠궁

타
앗

타
타탓

아-

안심해라.
이제 안전하다.

척
안전?

구
구
구
구
저 몰려드는 녀석들을 보고도 그런 말이 나와?
마물이 아닌 건 분명한데, …저것들 대체 뭐지?

사념체?

그딴 걸로
공격해올 거면
외곽 장벽이
아니라
슈
욱
본성을
노렸어야지!!

콰악

퍼
버
벙

폭
퍼폭
폭

맞는 말이야.

게다가 이 많은 사념체를
그어엉
장벽의 파수들은 눈치조차 채지 못했어.

휙
웅

팟
노골적으로 나와 마르스의 발목을 잡고 있다.

…어째서지?
마왕이 노리는 건 몸통, 코키토스가 아니었나?

설마…?

처음 보는 꽃이네?

이 냉기를 견디고
어찌 꽃을
피웠을까?
신기하기도
하지.

함부로 꺾으면
안 되는 꽃이랍니다.
엘프의 공주여.
슥

깜짝

억울한 원혼이
그 존재를
드러내기 위해

피워진
까닭이지요.

마법사랑해

파
바
바
밧

쏴라!
근위대를
엄호해!!

쿠
구
구
구

진격!!
두
두
두
두

다다닷

대정령 에시아여!
부디 제 검에 깃들어
악을 처단하소서!!

쓰러진다!!!
기
기긱
놈들의
숨통을 끊어라!

한 녀석도
성내로 들여서는
안 된다!!

뭣들 하는가? 어서 의식을 행하지 않고.
왕께서 수호수 깨우는 것을 허락하셨네.

…하지만

…송구합니다만, 저희로선 선대왕께서 봉인한 이 마법의 의식을 시행할 재량이 없습니다.
고대의 정령을 깨우는 일은 초월된 소환의 마력이 필요합니다.

성밖의 상황을 보고도 여태 망설이시는 겐가?
지금이야말로 멸족의 위기에 봉착한 때이거늘…

왕족의
피가…
스윽
…필요하다는
뜻일 테지?

자…

필요한 만큼
가져가 쓰시게.

……

귀한 옥체에
손을 대시라 하시니,
그 뜻을 어찌 저희가…

지금 이 성에 선왕의 피를 물려받은 왕족은 나뿐이네.

내가 아니라면 설마 성년식도 치르지 않은 공주의 피를 원하는가?
그… 그럴 리가요.

전하!!

공주 마마가…
타다닷

…어디에도 그 모습이 보이질 않습니다.

아케론.
마왕의 머리는 모략에 뛰어나다.

녀석의 눈은 상대의 부정을 알아채고
귀는 마음의 소리를 들으며 입으론 탐욕을 내뱉지.

클로드.
벨로디의 현자, 폴마의 제자들 중 선하고 의지가 강한 자들을 찾아라.
힘을 키우기 위해선 그들의 지혜 또한 필요하다.
꾸벅

파블로는
카시우스 일대의
강인함을 지닌
전사들을 모아라.
대륙이 처한 위험을
알리되 혼란을
야기해선 안 된다.

마왕의 팔,
플레게톤은 강대한
지배의 힘을
지니고 있다.

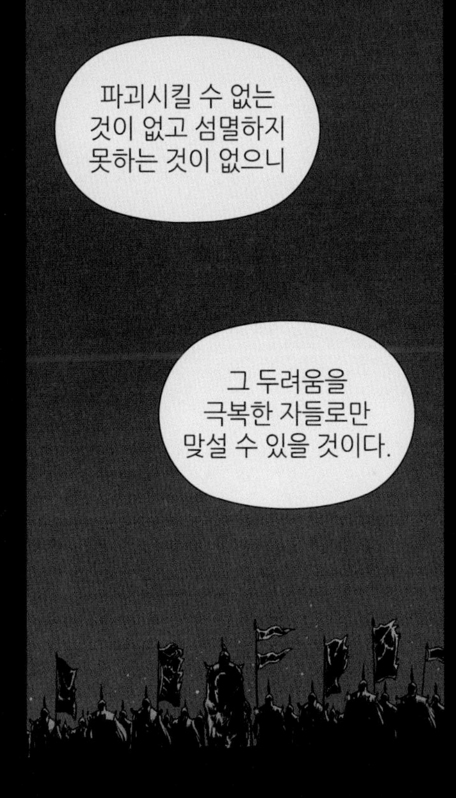
파괴시킬 수 없는
것이 없고 섬멸하지
못하는 것이 없으니
그 두려움을
극복한 자들로만
맞설 수 있을 것이다.

명심하겠습니다.
척
그리고 반.

그대는 황녀의 안위를
살피고 그녀를 보필할
혈맹국을 찾아보라.

투탈리칸의 패망이
알려지는 순간
대륙의 왕국들은
서로 우위를 차지하기
위해 앞다퉈 전쟁에
나설 것이다.
그녀는 향후 질서와
평화를 되돌릴
명분이 될 것이니

구안이 살린 이유를
헛되지 않게
해야 한다.
걱정 마십시오.

마지막으로…

번쩍
포오!!
(나!!)
포오꼬루?
(나는?)

…네오피테에 홀로
떠나는 것은 너희를
믿지 못함이 아니다.
세라프께서 그리하신
것처럼 모든 짐을
홀로 짊어지기엔
나 스스로의
부족함을 이미
잘 알고 있어.

에드바르가
마왕의 심장을 담을
몸통을 찾는 걸
우선시한다면
가장 유력한
다음 행선지는 코키토스가
잠들어 있는 네오피테가
될 테니까요.

그렇다면 더더욱
홀로 가시는 것이
위험하지
않겠습니까?

그것을
막으려는 것이
아니다.
막으려 한들 당장에
막을 수 있는 힘이
없다는 건 너희들도
아는 사실일터…
…그렇다면
굳이 왜
위험을 무릅쓰고
직접 네오피테까지
가시려는 겁니까?
막을 수 있는 자를
알기 때문이다.

예!?

오랜 세월 전에
파멸의 군주
페르샤디스의 사지를
직접 봉인한 자.

모비얀트가
사라지던 그날 밤.
어째서인지
열린 차원 밖으로
하딘과 함께
튕겨 나갔지.

현재로선
마왕의 부활이
완성되기 전,
그를 다시 이곳으로
불러들이는 것이
가장 시급한 일이네.
그…
그게 무슨
소환수도 아닌
존재를 차원 너머로
다시 불러들인다고요?

구안께서도
행방이 불분명한 지금
대체 누가
그런 소환마법을…
……

포퐁!!
포포롯포포퐁*
절레
절레

*대충 본인은 무리라는 뜻.

다행인진
몰라도
네오피테에
구안 님과 견줄 만한
소환 능력을
지닌 자가 있다.
선왕의 피를
이어받은 어린
나의 동생.

새턴
벨라토리오.
현재로선
그 아이가…
…우리의 유일한
대안이야.

콰
가
각

쿠웅
처억

설마…
…에드바르도
새턴을 노리고
있는 건가?

콰
광
타닷

쥬피터!!
싸우다 말고 무슨 상념에 그리 빠져 있어?
!!

오라버니.

그엉
그어엉
기운 빠지게 그런 소릴 하냐?

이 사념체들…
장벽에서 죽어간 인간의 원념이에요.

그래서 대안은?
치유술로 회복시킨 몸안에 일부 어긋난 시간이 공존하고 있습니다.

없애고 벨수록 계속해서 나타날 겁니다.
끝이 없는 싸움이 될 테지요.

시간이 지나면
자연스레
정착되겠지만
그전에
다른 마법에 휘말리면
일부 기억을
잃게 될 수 있어요.
…뭐?

뭔 소린지
모르겠다만 벗어날
방법은 있다는 거지?
그엉
그어엉
그엉

어차피 할 거면
지체 말고 해.
타앗

넉넉히 시간을
끌어줄 만큼
마나가 충분하진
않으니까…
투다다닷

땅과 바람, 숲의 격류를
지닌 정령의 권속이시여.

계약의 표시로 부르나니…

나의 형제에게 풀리지 않는
강대함을 부여하소서.

마법사랑해

쿠궁
쿠궁

톡
토독

쏴아아아
……

어떻게 생각해?

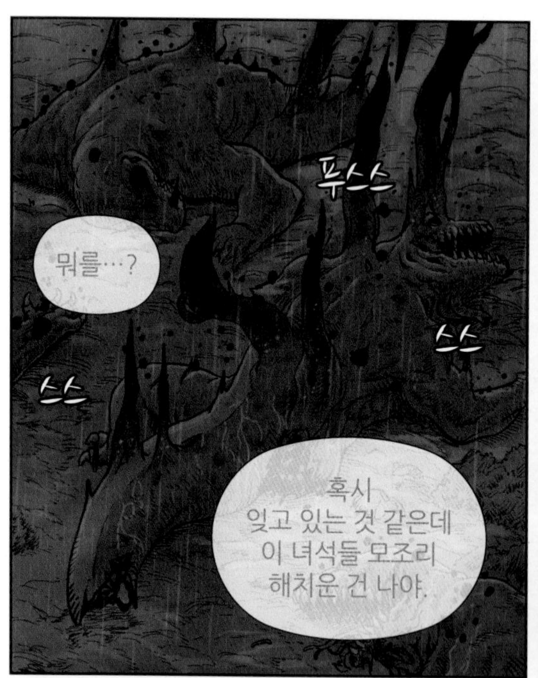
푸스스
뭐를…?
스스
스스
혹시
잊고 있는 것 같은데
이 녀석들 모조리
해치운 건 나야.

설마
지켜보고만 있던 걸
칭찬이라도 해주길
바라는 건 아니지?
야! 비 내리게
만드는 건 뭐,
쉬운 줄 아냐?

그리고
칭찬도 좋지만
론 밭을 이렇게
만든 녀석이
장벽을 넘었다는
그 마법사 짓일지
묻고 있는 거라고.

모르긴 몰라도
최악인 건
분명하지.

인간 마법사의
짓이라면 생각보다
만만치 않은
상대란 뜻이고

타그닥
타그닥

그자의 짓이
아니라면
더더욱…
쏴아아아
…이 땅에
위험이 닥쳤다는
뜻이 될 테니까.

정찰대로군.
일찍 좀
올 것이지.

이제
어쩔 거야?
싸우길
싫어하는
왕세자께선…

슥
론 밭에
화염의 사념체를
풀었다는 건

아마도 엘프들의
마나를 봉하겠다는
뜻이겠지?

허나 그 목적으로
입은 피해는
고스란히 백성들의
몫이 됐어.
어느 쪽이건…

…용서하지
않는다.

저벅
저벅

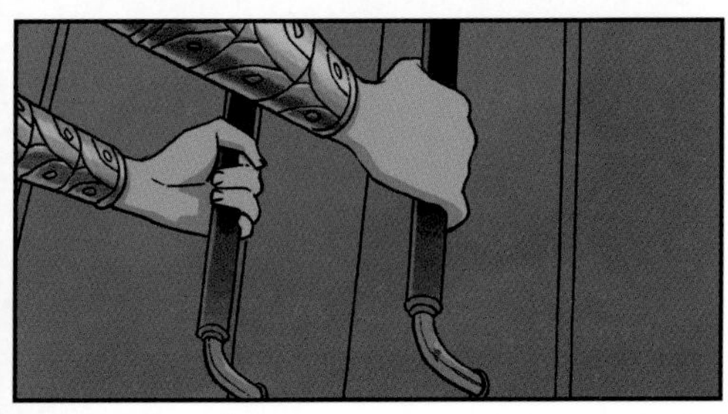

척

콰앙

어찌된
것이냐?

휘
이
이
이
지키고
보호하는 자가 몇인데,
공주의 행방을 아는 자가
아무도 없다니…

어찌된
일인지
묻질 않아!

소… 송구하오나
이 방에 출입하는 자는
어느 누구도 보지
못했습니다.
안절
부절
어찌된 일인지
저희도 도무지
알 길이…

……

저벅

스윽

이 꽃은…

그대를 가둔 피로
다시금 부르나니
주르륵

구
구
구

구웅
구웅
깨어나 맹세한 주인의
부름을 받들라.

깨어날 수호수는
맹세에 따라
당신의 것입니다.

…이제
만족하십니까?
마왕의
대리인이여.

쿵
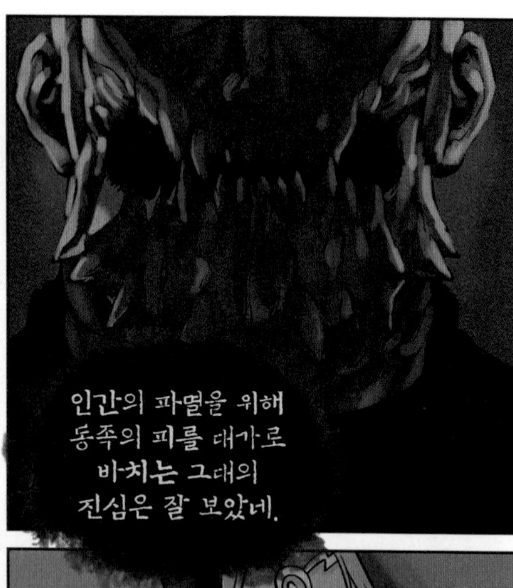
인간의 파멸을 위해
동족의 피를 대가로
바치는 그대의
진심은 잘 보았네.

작고 여린
그 아이의 영혼까지
이용할 줄은
몰랐습니다.

원념의 사념체들까지
소환할 정도로
재능이 탁월한
아이더군.

주룩
어리다 해도
엄연한
왕가의 핏줄.

왕가의 안전은
지켜준다는
그 약속을
잊지 마십시오.

스
스
오해가
깊군.

선대 엘프의
왕만큼이나
뛰어난 마력이
잠재되어 있고
차원을 열 수
있는 소환술에
능한 아이.

슥
날 이곳에
부른 건 그대의
바람이 아니다.

이 영혼의 존재가
날 부른 것이다.

그게 무슨…

!!

…네놈.
애초에 내게
왕족의 피로 부르는
고대 수호수의
힘을 원한 것이
아니었구나!!

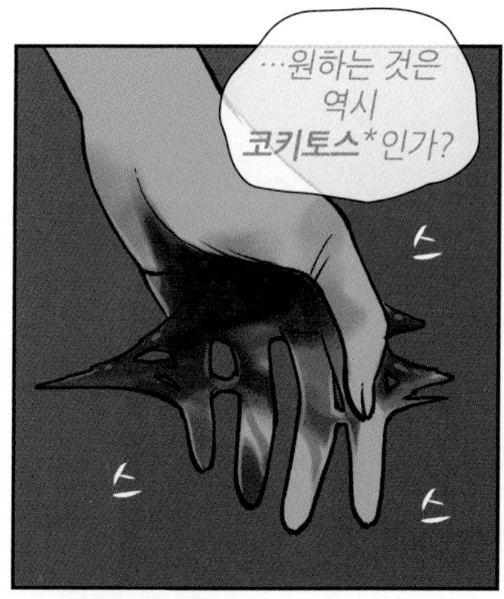
…원하는 것은
역시
코키토스*인가?
스
스
스

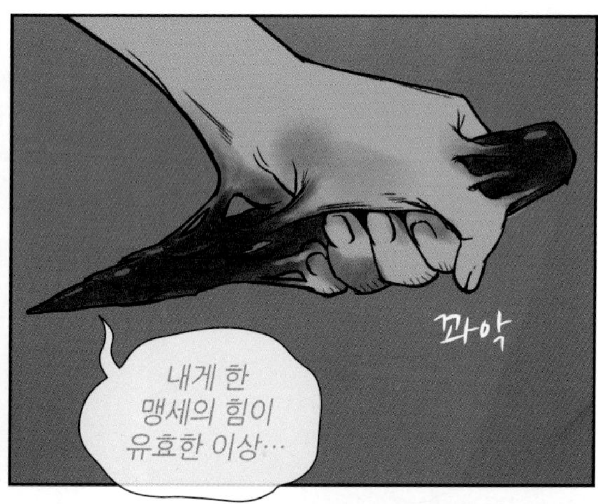
꽈악
내게 한
맹세의 힘이
유효한 이상…

*코키토스 : 마왕의 몸통.

…내 목에서
비애의 탄식은
영원히 들을 수
없을 것이다!
꾹
그럴 자격이나
가지고 있는가?
촤륵

슈
우
우
왕족의 피 한 방울
섞이지 않은
비천한 그대가?

차
아
악

그러고 보니
영겁의 시간을
그 착각에 취해
살았겠구나.
꽈악
허나,
명심해라.

마왕의
몸통을
깨울 수 있는
깊고
한없이 뻐저린
비애의 탄식은
그대가 아닌
엘프 왕의
몫이다.

덜
덜
덜
그대가 가진
그 회한의 기억은
고스란히 전해주지.

끄득… 끄드드득
가엾게도 그대를 어미라 여기는
눈이 감긴
어리석은 왕에게 말이다.

꾜아아아악!!
파스스

구
우
웅

쿠당
쾅

쿠구구궁

처억
공주 마마는
안전합니다!

스륵

에드바르!!

꽃다운 나이의 발걸음이

끼익

탁

덜컹
두려움과 설렘을 안고
머나먼 타국의 땅을 밟는다.

아르고 가문의 딸,
유노라고 합니다.
네오피티에
오신 것을 환영하는
마음에서
준비했어요.

아…
바라 꽃이라고
합니다.
페어리 숲 절벽에만
피는 희귀한
꽃이지요.
인종을 뛰어넘은 국가 간의 화친을
명분 삼은 것이었으나

실은 제가…
스윽
…엘프 언어가
아직 서툴러 잘
알아듣지 못해요.
삐질
삐질
??
죄…송해요.
왕위 계승에서 밀려난
적통 가문의 외동딸로서는

꾸벅
더듬
제 이름은
베스타…
입니다.
환영해주셔서
감…사합니다
더듬
딱히 선택의 여지가
없었던 것이 자명해 보였다.

걱정 말아요.
이곳에서
지내는 동안
와락
귀여워라~!!
모든 걸 보고
들을 수 있게, 내가
도와줄 테니까~
꼬옥
자!
따라와요.
우선 앞으로
지내게 될 저택을
안내해 줄게요.
타다닷
방문의 목적이 무엇이었던 간에
인연이 닿은 두 소녀는
서로에게
더할 나위 없는 사이가 되었다.

친인척 하나 없던
낯선 공간에서
일생을 보내야 할
걱정과 근심은
어느덧 사라졌고

엘프의 땅에서 보내는
모험 가득한 하루하루는

빨라!
너무 빠르다고,
유노!!
쌔애앵
…그래서
지금 어딜
가는 건데?
너한테 꼭
소개시켜주고
싶은 친구가
있어서 그래.
너무
겁만 먹지 말고
눈 좀 떠봐.
그… 그렇지만
무섭다고.

와~ 너무
예쁘다!
무섭다고 할 땐
언제고…
그간 느껴보지 못한 해방감을
주기에 충분했다.

…이렇게
외진 곳에 대체
누가 산다는 거야?

깡
들어와~ 그리
겁먹지 않아도
된다니까?
탁

깡
빼꼼

…이상한
소리가 나는걸?

이름은
멜른 벨라토리오.
깡
깡
행색은
저리 보여도
인간들과의 전쟁을
끝낸 장본인이자

엉뚱한 걸
만들길 좋아하는
녀석이거든.
깡
깡
부모님들끼리
워낙 막역한 사이라
어릴 적부터
같이 자랐지.

앞으로
엘프들의 왕이
될 남자야.
멈칫

그걸 몰라서 물어?
어떻긴, 꼭 타다 만
숯덩이 같아.
슥
여기까진
어쩐 일이야?
유노.
손님까지 모시고
흉보러 온 건
아닐 테고.
더욱이 행복하지 않을 수 없는
이유가 생겼으니…

내 행색이
어디가
어때서?

옆에
계신 분은…
서로의 눈에 담긴 영혼의 짝을

알아보게 된 탓이었다.

참! 인사해.
이쪽은…
넙죽
이… 인사가 늦었습니다.
A. 페르 베스타.
엘프의 왕을 뵙습니다!

베스타~
그렇게까지
격식 차리지
않아도 돼.
하하
하하
유노, 네가
오해받을 만한
소개를 하니
그렇지.

고개를 드세요,
영애.
엘프들의 땅에
왕 같은 것은
없답니다.
…?
서로 규칙을 세우고
협력하며, 배려하고
이해하고
그리 살고 있죠.

아마도 인간과의
오랜 전쟁에서
서로의 문화에 많은
영향을 끼친 탓에
아;;
척
누군가를
그런 자리에 세우고
싶어하는 노인네들이
많아진 것은
사실입니다만…

…이것도
은유적 표현이니
오해는 마세요.
아시겠지만
엘프들은 기본적으로
인간보다 나이가
열두 배는 많거든요.
깡
까앙
인간의
언어를…
아시네요?

멜른도
인간 친구가 있어.
마법사라던데?
마법사?
지겨운 전쟁을
끝낼 수 있었던 것도
사실 그 친구
덕분이죠.
까앙

서로
공존할 수 있는
지혜를 건네고
적대심 가득했던
인간의 왕들을
설득한 것도 결국
그 친구였으니까…

…그런데
뭘 그리 열심히
만들고 계세요?
슬쩍
그 마법사 친구에게
줄 선물이에요.
무시무시한 마법이
담긴 물건이죠.

이건 그냥…
반지 같은데?
그냥 반지가
아니라 무시무시한
반지예요.

드워프의 광물을
정제하여 만들었는데
여기에 엘프의 눈물이
더해지면

영원을 상징하는
아인의 증표가
된답니다.
그러니까
그게 어디가
무시무시한
건데요?
다만,
그것이 누군가에게는 불행의
씨앗이 될 수 있을 거라고

영원만큼
무시무시한 건
없어요, 영애.
??
소녀는 짐작조차 하지 못했더랬다.

너무해!
그렇다고 정말 나만 두고 간다고?

어쩔 수 없잖아. 대정령은 특히나 이방인을 향한 경계가 심해
자칫 네가 위험해질 수도 있다니까?
언제는 내게 모든 걸 보고 들을 수 있게 해준다더니~

얼굴만 비추고 최대한 빨리 돌아올게.
음식도 잔뜩 싸가지고…
…몰라아!
쏘옥

올 때까지 잠들지 말고 기다려~ 알겠지?
밤공기가 차니까 물에 너무 오래 담그고 있지 말고.
잔소리 그만하고 빨리 가!!
늦었다며~
첨벙

정령의 기운이
범람한다는 노아의 달이
떠오른 날.

…대정령
에시아의 축제라고
했던가?

지금쯤이면
다들 신나게
놀고 있겠네?
엘프들만이
참여할 수 있는
행사라니
어쩔 수 없이
참아야겠지만…

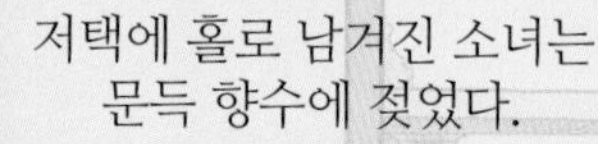
저택에 홀로 남겨진 소녀는
문득 향수에 젖었다.

마치 잊을 만하면 갈 곳 없이 버려진 외부인이라는 사실을
상기시켜주는 것 같단 말이지.
피~
거기… 누구 있어요?
그리 생각하고 있었다니 조금 섭섭하네요.
깜짝
단 한 번도 당신을 외부인이라고 생각한 적 없었는데…
…
…멜른?

이끌릴 수밖에 없는 운명.
잠깐!
타그닥
타그닥
잠시 마차 좀
세워주세요!
대체 그게
무슨 말이냐?
축제에 참석하지
않겠다니…
다시
돌아가겠다고?
고작
그 인간 아이
때문에?
아무래도…
혼자서만 두는 건
아닌 것 같아서요.
그리고 서로에게 다가갈 수 있는
자그마한 용기가 더해졌을 때
피는
한 방울 섞이지
않았어도
끼이익
이제 내게
둘도 없는 자매나
다름없는걸.

먼 타국에서
곁에 있던
나마저 없으면
그 외로움은
배가 될 게
뻔하잖아.
탁
탁

빨리
돌아오겠다곤
했지만
타닥
이렇게나
빨리 온 걸 알면
적잖이
당황하겠지?

살금
살금

누구도 예기치 못했던
균열은

그날 밤, 이미 시작되었다.

노아의 달이 지고 에시아의 축제가 끝난 뒤로도 나흘간…
벌컥
…소녀는 문밖으로 나오지 않았다.
언제까지 그러고 있을 셈이니?
달그락
긴 세월 동안 단 한 명의 상대와 짝을 이루는 엘프는 본 적도 들은 적도 없어.
무릇 사내라면 젊고 아름다운 상대에게 끌리는 것이 당연한 일이다.
젊음은 유한하고 아름다움은 금세 사라지기 마련이지.

하물며 그 아인
고작 백 년도
살지 못한다면서…
자매를 자청할
정도의 친구라면
그리 강샘할
것이 아니라
저벅
그 반짝이는 찰나의
순간을 축복이라도
해주지 그러니?
홱
형제만큼이나 정을 쏟았던
친구를 향한 원인 모를 배신감.
홀로 오랫동안 감춰왔던
연모의 상대를 빼앗긴 원망감.
……
포옥
그럼에도
눈물 한 방울 나오지 않는
스스로를 향한 혐오감을
지우기에

턱없이 짧은 시간이었다.
쓰담
대체 뭐가 그리 걱정이야?
설마 그 아이와 혼인이라도 한다던?
가당치도 않지.
다른 종족과의 혼인은 성립조차 되지 않는다.
결국 멜른은 너의 남자가 될게야.
슥
네가 태어나기 전부터 부모들끼리 이미 그리하기로 약조를 하였어.
아마 그때가 되면 내 말의 뜻을 이해하게 되겠지.
지금 소모하고 있는 그 감정이 얼마나 덧없고 의미 없는 일인지…
탁

…그 말이 사실이에요?
엘프는 눈물을 흘리지 않는다는 말.

사박
에이~ 설마요.
뭐… 인간에 비해 감정의 동요가 적긴 하죠.

덕분에 마나를 다룰 수 있는 능력이 탁월해
인간보다는 마법을 쉽게 익힐 수 있는 것이랍니다.

하지만 그마저도 감당할 수 없을 정도의 감정에 휩싸이면
엘프도 인간처럼 눈물을 흘릴 수 있다고 들었어요.

그야말로 귀하고 값진 눈물이긴 하지만…
…한편으론 안타깝고 슬픈 이야기네요.

멜른은
어때요?
혹시 멜른도
울어본 적이
없어요?
물론이죠.
그런 감정은
상상해본 적도
없는걸요?
사랑하는
누군가를 위해 눈물을
흘릴 수 있다는 건
신이 주신
축복이랍니다.
만약 제가
죽으면…
…그때는 멜른의
눈에서 눈물이
흐를까요?

불운한 소리
말아요.
죽긴
누가 죽어요?
생명을 가진 자는
누구나 죽어요.
신께서 그리
창조하셨으니까.
쏴아아
더군다나 인간은
엘프에 비해 그 삶이
훨씬 짧잖아요.
삶의 길이는
중요하지
않아요.
오히려 짧지만
그 삶에 당신을
만날 수 있어
전 그것으로
감사하고 누구보다
행복합니다.

……

그 짧은 시간을 이리
헛되이 보내는 것은
무엇보다
어리석은 일이에요.

스
당신의 말이
맞아요.

척
A.
페르 베스타.

나의 아인.

부디 나의
아내가 되어
주십시오.
저의 눈물은
오직 그대만을 위해
흘릴 것을
맹세합니다.

터무니없는 소리로군!
인간과 혼인이라니, 정령들의 분노가 두렵지도 않은 겐가?
저주받은 돌연변이가 태어나고, 그 후손은 대대로 불행한 삶을 살게 될 것이요!!
웅성
무엇보다 엘프의 땅에 세워진 율법에 위배되는 얘기가 아니오?
웅성
누구보다 잘 아는 자의 입에서 그런 말을 듣다니 실로 유감이군.
우려하시는 바는 잘 알고 있습니다.
그래서 말인데…
…제가 왕이 될까 합니다.
그리고 왕이 되면 가장 먼저
그 말도 안 되는 법률부터 폐지해버릴 생각이고요.

그런데 혹시
이 자리에
누군가라도…

…제가
왕이 되는 것에
반대하실 분이
계십니까?

엘프의 왕께
찬양을!

엘프의 왕후께
축복을!
네오피테의
무궁한
영광을!!

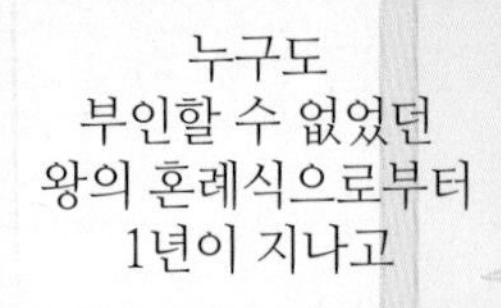
누구도
부인할 수 없었던
왕의 혼례식으로부터
1년이 지나고
다시금
노아의 달이 떠오른 밤.

왕실은 기쁨과 희망의
새로운 생명을 맞았다.

그 아이는…

…내 아이었어야
하는데

그 자리는…

내 것이었어야 해,
베스타.

유노!!

와락
왜 이제야
온 거야!
내가 얼마나
기다렸는지
알아?

아르고의 딸, 유노.
엘프의 왕과 왕후를 뵙습니다.

격식이라니 말도 안 돼!
넌 내 가족이나 마찬가지인걸.
꼬옥
네가 없었다면 이 모든 축복은 내가 상상도 하지 못했을 거야.

보고 듣는 자가 많은 곳이니, 예를 갖추어 나쁠 것은 없겠지요.

칫…

마땅한 말씀입니다. 시간도… 상황도 많이 변했으니까요.
저의 방문이 모처럼의 마마께서 누리실 안식에
불편을 끼칠까 염려하는 마음뿐입니다.

스륵
불가하오, 부인.
오랜 친구와의 자유로운 시간이 필요하다는 것은 이해하지만
호위병 하나 없이 이 성을 벗어나는 것은 위험하니 허락할 수가 없소.
제발요.

…왕후 자리에 앉은 뒤 한 번도 만나질 못했어요.
갑갑하고 딱딱한 왕실생활의 푸념이나 늘어놓는 오랜만의 회우일 뿐이에요.
더군다나 오늘은 정령의 가호가 충만한 밤이잖아요.

하지만 길었던
시간만큼이나
벌어진 틈 사이로 채워진
시기와 질투 역시
그 크기를 가늠할 수
없을 만큼 자랐으니…
위험하긴!
그럴 거면 왜
오자고 했어?
사박
마음엔 끝없는
증오가 피어나고
알겠으니까
제발 그만 뒤로
물러나시라고요.
입은 거짓을 말하며
…위험합니다.
어서 이쪽으로.
하여튼
잔소리꾼~
알았…

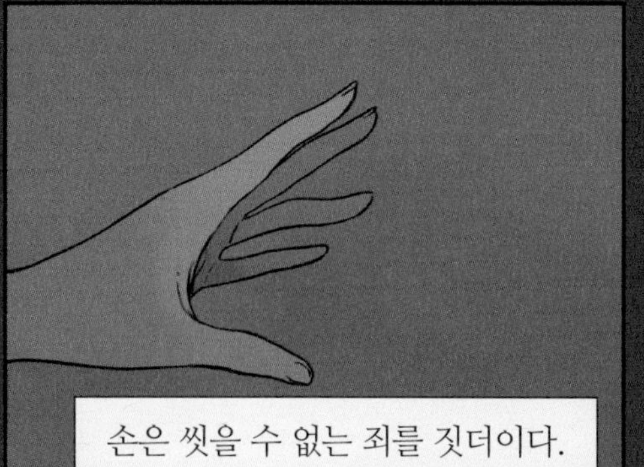
손은 씻을 수 없는 죄를 짓더이다.

유노!!

베스타!!

벙긋
베스…타.
…

피바람이 불고
붉은 달이 뜨는 밤.

왕께서
비로소 눈을 뜨니

엘프의 땅이 이내
비탄에 잠긴다.

마법사랑해

콰
악

터엉

!!

이런…

펑
쿠당

슈악

빛이여. 꿰뚫어
섬멸하라.

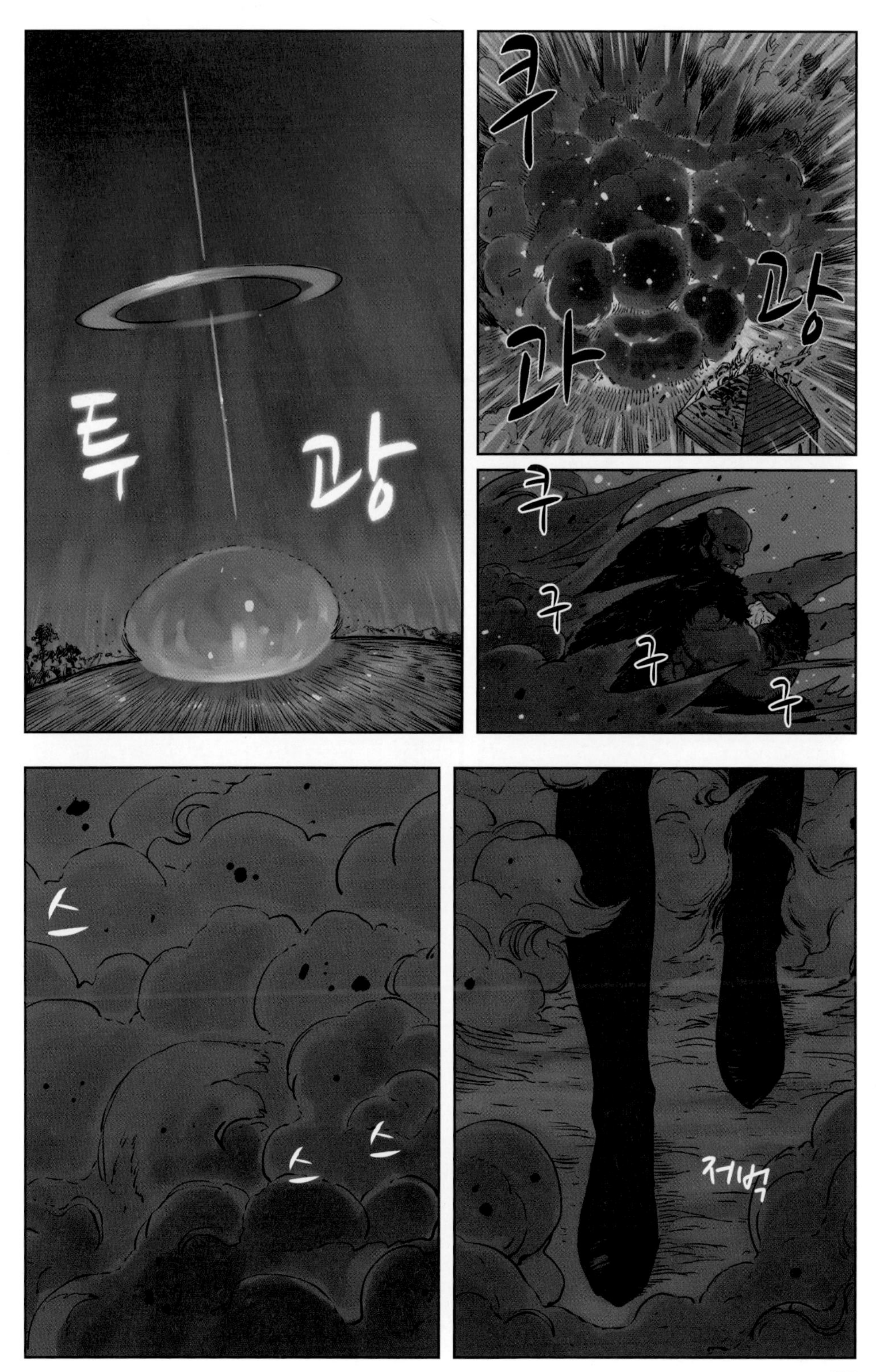
투
광
쿠
과
광
쿠
구
구
구
스
스
스
저벅

촤락

쿠우우우
꿈틀
꿈틀
어둠에 잠식된
영혼의 상흔이여.

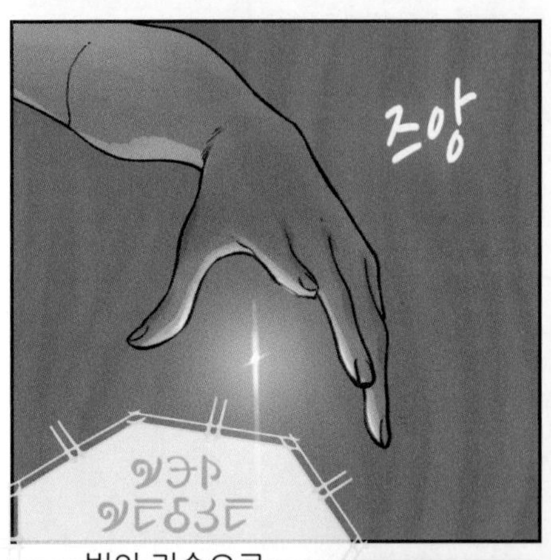
즈앙
빛의 권속으로
명하나니…

투두둑
투둑

소멸하여 악으로부터
구원받으라.

파
파
파
파
팟

부디
그대의 영혼에
신의 가호가
뒤따르길…

콰악

슈
슈
슈
슉

쿠
구
구
구
구
궁
번
쩍

타앗
너무 많이 지체돼버렸어.

지금쯤이면 이미 신전에 도착하셨을 터.
타
다
닷
혹여, 나의 우려대로 에드바르 역시 새턴을 노리고 있다면…

…더더욱 스승께서 위험하다.
쥬피터!!
대체 뭘 그렇게까지 허겁지겁이야!

뭐라고 제대로 설명이라도 해주고 뛰어야지~
하아
하아
어쩌다 성벽 외곽까지 오게 된 건지는 모르겠다만
어머니껜 이 오라버니가 잘 설명해드릴 테니…

…엥?

동생아! 우리
여기서 이 시간까지
대체 뭘 하고
있었던 거냐?
당최 기억이
나질 않아.

무슨 놈의
피가 이렇게…

…마르스.

하긴,
이곳을 떠나기 전
어린 시절에는
누구보다 아끼고
서로에게
의지하던 사이였지.

오랜 사이의
감정을 잊고
있었던 건
나 또한
마찬가지였는지
모르겠구나.

툭
뭐야?
그 표정은~
금방이라도
또 울 것처럼…
…이깟 상처가
뭐 대수라고
뚝! 오라버니는
괜찮으니
울지 마라.
쓰담
쓰담
여하튼
넌 엘프치고
눈물도 희한하게
많다니까.
…

울긴, 내가
언제 울었다고…
파
아 아
왜 기억 안 나?
칠흑의 숲에서
길을 잃었을 때도…
…쓸데없는
기억을.

촤
얼레?
기대했던 것보단
평화로운
분위기네?
라
락

머큐리…?
?!

다신 돌아오지
않을 것처럼
떠나더니
돌아온 걸 보면
슈우
인간 세상도 꽤나
녹록지 않았던
모양이지?

비너스!!
……
와락

인간 세상?
…떠나다니
누가?
타닷

고생 많았다.
이유야
어찌되었건…
집에 온 것을…
환영해.
왜들 저래?
한 몇백 년은
못 본 사이처럼…

우리 망나니 녀석은 어쩌다 순한 양이 됐지?
치유마법으로 일부 기억이 엉키기라도 한 거냐?

마침 잘 와주셨습니다.
한시라도 빨리 신전으로 가야 해요.
…갑자기 신전은 왜?
새턴이 위험합니다. 시간의 통로를 통하더라도 늦을 것 같은데 혹시 다른 방도가…

오히려 좋아.
뭐래
척

쿠웅

대량의 마나가
폭발하고 있어.
신전 쪽이다.
스승님!

…쥬피터, 대체
무슨 일이 일어나고
있는 거야?
새턴이
위험하다는 건
또 무슨 뜻이지?

슥
들어야 할 말은
많지만 지금은
때가 아닌 것 같아.

…서두르자.

투둑
후드득
이 지역
전체를 날려버릴
심산이신가?

실로
어… 엄청나군.
주인과의 싸움에서
이미 억제된 마나의 힘을
일부 느끼긴 했었지만
이 정도일
줄은.

소멸의 순간
형체를 숨겼다.
아케론의 힘을
얻은 녀석이니
쉽게 당할 리 없을 거라
예상은 했었다만…

어디로 숨은 거냐?
에드바르.

마나의 흐름이
격해진 것은 분노를
느껴서입니까?
!!

마법제의 위치까지
오르신 분께서 이리도
인간적인 면모를
보이실 줄은 몰랐습니다.
스
스
슥

무장.

콰
앙

꾸드득
세라프를
향한 동경심
때문입니까?

…불사(不死).

인간들을
지키고 싶은
정의감?
파
스
스
그것도 아니면
구안의 죽음에
대한 자책감?

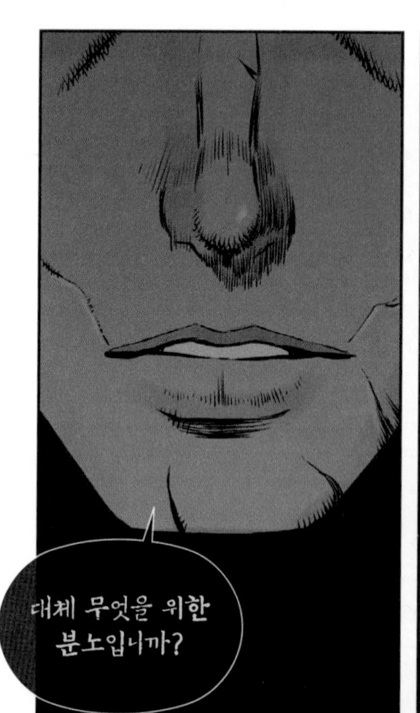
대체 무엇을 위한
분노입니까?

네놈!!

이미 마왕에게
영혼까지
팔았더냐?
꾸드드득
빛이 강하니
그저 어둠
또한 짙어진 것
뿐입니다.

탓하려거든
빛만으론 무엇 하나
볼 수 없고…
콰
가
가
각
…구원할 수
없음을 깨닫지
못하는
스스로의
무지함을
탓하십시오.

마법사랑해

웅성
웅성
우르르
해안가로 마드리아 사막 고래의 사체가 떠내려 왔다고 하더구나.

.......
하딘이 처리 중인데
저벅
보기 흔치 않은 타 대륙의 마물이니, 다른 구경이나 할 심산이겠지.

척

넌 다른 아이들처럼 가보지 않는 거냐?
궁금하지 않은 게야?
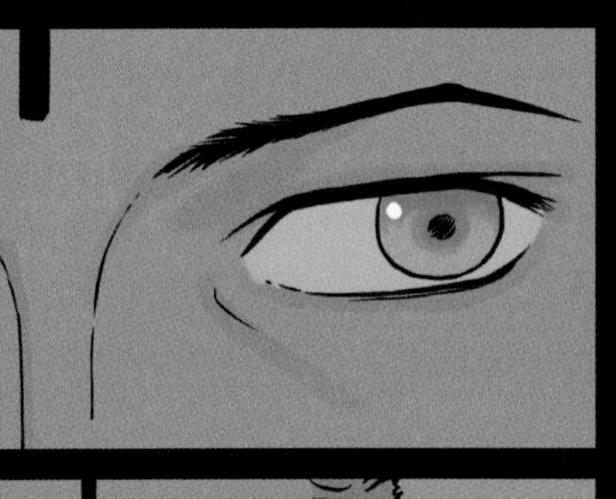

……

…제가 무엇을 궁금해 해야 하죠?

죽음에 관해서라면 이미 누구보다 잘 알고 있고
동정이란 감정은 버리고 지운 터라 느낄 수가 없습니다.

허나 배움에는
제한을 두지 않고
대상에 편견을 갖지
말라 가르치셨으니
제 관심사는
오로지 마법에
정진하여
절 구원하신 모잔을
실망시켜드리지
않는 것뿐입니다.
어쩌면 그날 이미

누구에게도
들키지 않았던
감정의 잔여를
눈치챘던 것인지
모르겠다.
감정이란
매분 매초 무한하게
피어나기에
기쁨과 슬픔,
분노와 증오.
애초부터
버리고 지운다는 것은
불가능에 가까운 것.
경멸과 후회,
근심을 동반하는
절망.

그렇기에…
지우는 것이 아니라
감추는 것이다.

이 아이는 감추고 있다.

네가 숨긴
감정은…
…무엇이냐?
에드바르.

크흑

촤아악

털썩
고작 마법을
익히기 시작한 것이
2년이었다.

쿠
구
구
견습생에 불과했던
이 아이가 당시에
뱉은 그 말이 이제 와
떠오르는 것은

나 역시
그간 잔존했던
감정을 인지하게
되어서였을까?
스
스

심장으로부터
빗겨난 것을
오히려…

…후회하게
되실 겁니다.
터엉

혹한의 침묵.
타앗

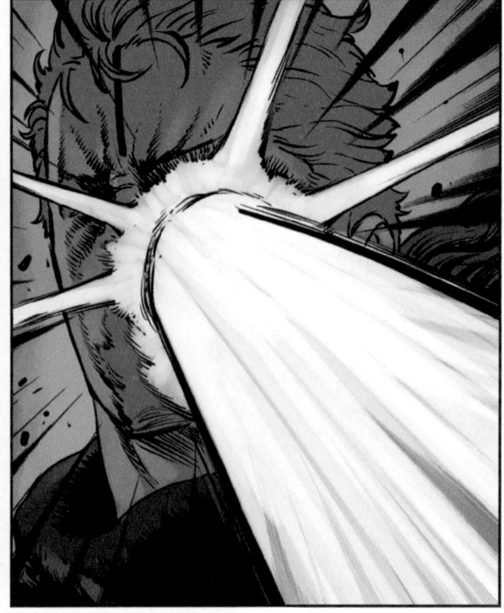

지저
엉

지저
저적

퍼
화염의 심장.
퍼
퍼엉

초월한
정령의 힘도
그대를 도울 수
없으니
슈
우웅

파
슥
스

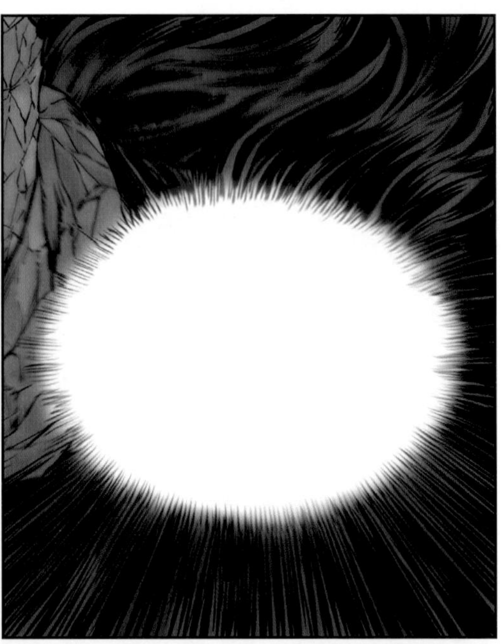

퍼
엉

쿠궁
쿠구구구

일어나지 마십시오.
고통과 절망만 가중될 뿐입니다.
쩌저적
쩌적

퍼
어긋난 인과를 되돌리는 것이 저희 마법사 존재의 이유가 아닙니까?
서
석

해야 하는 일을 하고자 하는 것입니다.
크흑

응당히 받아들여야 할 섭리를 따를 자신이 없다면…
…그저 모른 척, 눈을 감고 계십시오.
그리 방관하시면
때가 오기 전까진 죽음으로부터 사면해드리리다.

…제자여.
하아
하아
함부로 마왕의 입을 빌어 말하지 말지어다.

내게 잔존하는 감정은 분노 같은 것이 아니야.
꾸욱

실망과…
…그것을 넘어선 측은함이다.

슈욱

터
엉

파아앗

파
파
정령 왕들의 검이여,
거룩한 사명을…
파
팟

…집행하라!

새
앵

발버둥친다
한들
피할 수
없습니다.

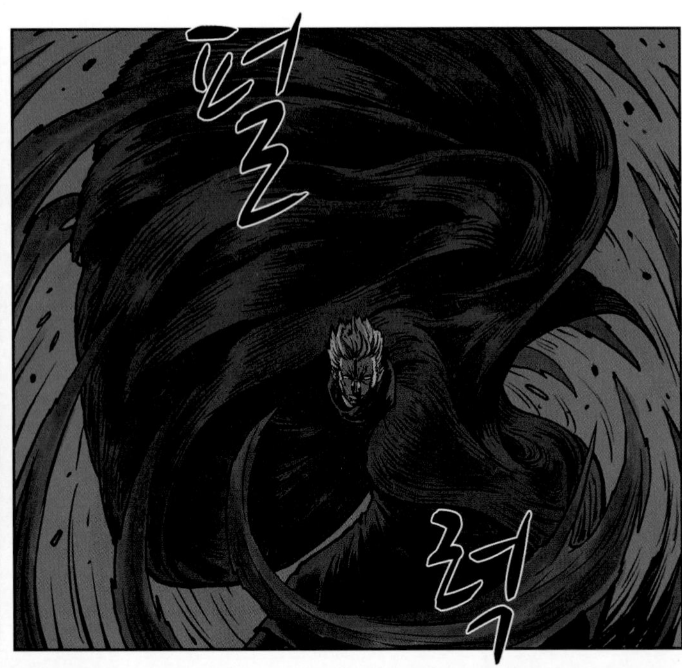
펄
럭

쿠
과
과
각

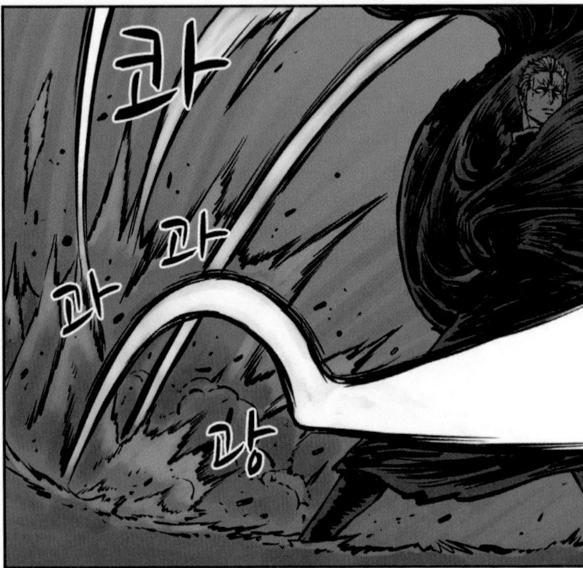
콰
과
과
광

탓

파멸로부터
그 어떤 것도…
촤
아
아
…그대는
막을 수가
없습니다.

콰
악

크으윽!!
파드드득

제… 제길.
덜
덜
덜
어떻게든…
움직여야
하는데.

덜
덜
덜
덜
몸이…
…말을 듣질
않아.

그리
원하신다면…

꽈득
꽈드득
…죽음의
안식을
드리지요.

촤
앙

쿠웅

에드바르…

파다닥

…선을
넘지 마시게.

푸스스
스스

구안…

스
스
스

…그대가 어찌 이곳에 계십니까?

못 볼 것이라도
본 표정이군.

르네…

파다닥
피코롱
…용케
구안의 영혼을
찾아냈구나.

이게 소환?
구안의 영혼이
이계 포아르에
숨어 있었다고?

당시 차원을
넘을 수 있을 정도의
마력은 남아 있지
않았을 텐데…?

무엇이
그리 놀랍지?
차원을 열 수 있는
소환사를 찾고
있지 않았던가?

…안식을 찾지
못하셨군요.
그대가 온다 한들
달라질 것은
아무것도 없습니다.

달라지는 것이
없을지라도

비뚤어진 제자를
바로잡으려
노력하는 것이
스승의
도리라네.
번뜩

장막 뒤의
존재는 명을 받들라.
촤
악

쿠
구
구
구

검제의 격침.

사선을 넘고서도 여전히… 스승 노릇입니까?

쿠우우우우

*포아르 언어로 심한 욕입니다.

턱

휘익

쿠당탕

쫓지 않을 테니 차라리
지금이라도 다시 도망치십시오.

깨우치지 못하는군.
죽음이 예지된 영혼이 어찌
차원을 넘어 그 운명을 피할 수 있었을 것 같은가?

나의 존재는…
…오롯이 모잔의 바람과 뜻이네.

혹여,
그대가 가진
오만과 편견이
방대한 그분의 뜻에
일조하고 있다
착각하고 있는 것은
아닐 테지?

감히…

콰득


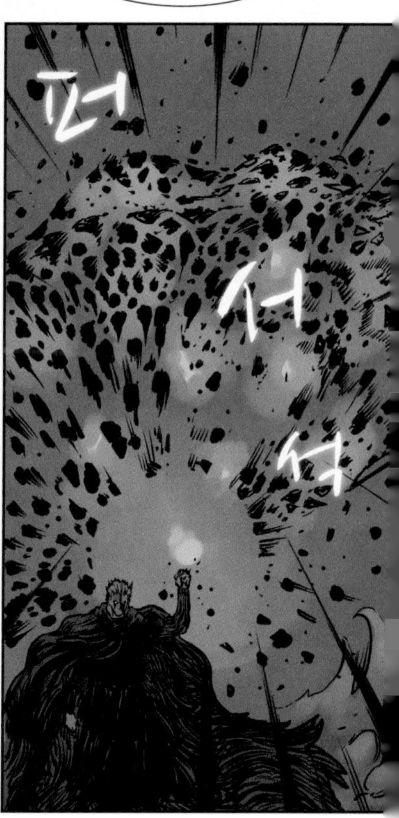

퍼
서
석

대지를
가르는
포효

쿠웅
그분의
뜻을 곡해하려
들지 마라!

쩌
저
걱

쿠
우
우

콰
아
아

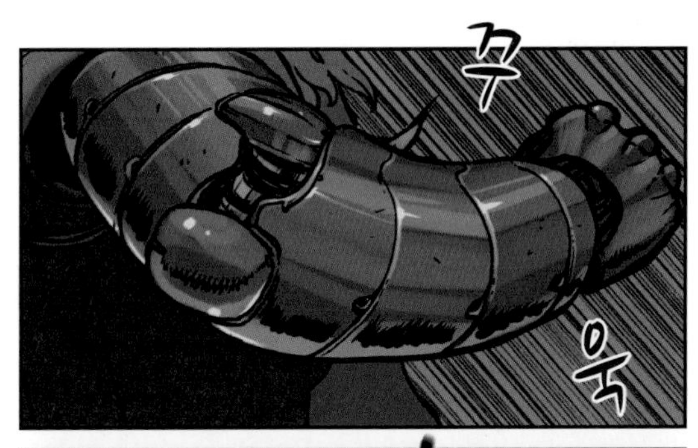
꾸
욱

카
앙

그대야말로
왜곡된 감정을
더이상 키우지
마시게.
턱

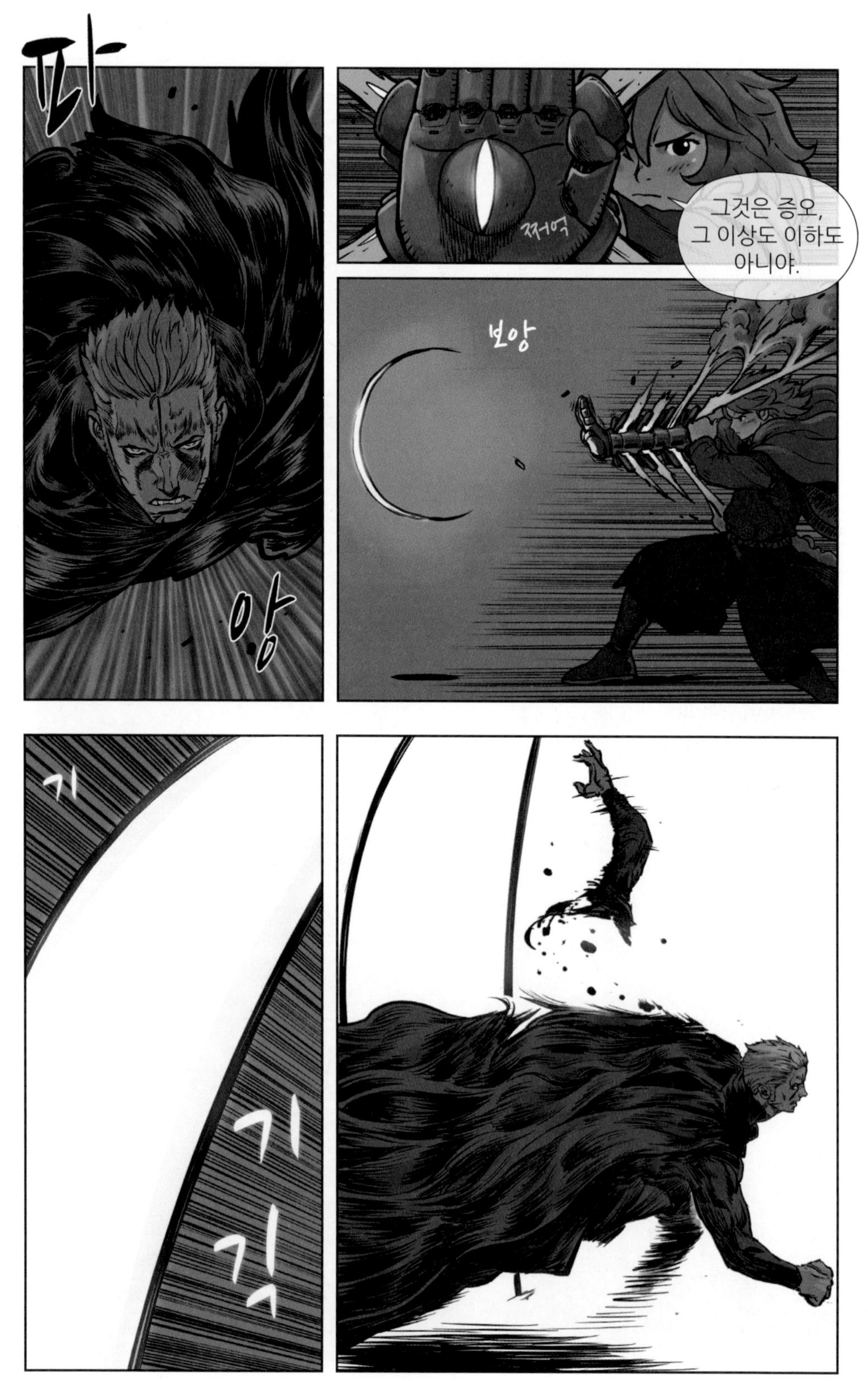
파
앙
쩌억
그것은 증오,
그 이상도 이하도
아니야.
보앙
기
기
깃

뭐라고 부르건 상관없다.

…파멸로써 되돌려 놓을 뿐이다!!

꿈틀
그분이 심장과 맞바꾸어 감내하신 고통을 이해하는 것은 오직 나뿐이니…

푸화악

투
콰
각

증오의
감정으로…
…그대가
대체 무엇을
할 수 있지?

그대가
원하는 것이
무엇이건…
'그것'으론
얻을 수 없네.

덥석
고작해야
마왕에게 영혼을 팔고
인류 말살 계획을
세운 것이
전부 아닌가?

덜걱
덜그럭

스르르

선을
넘지 말라고
했을 텐데…
에드바르.
파스스

그대에게
남은 이성이
마왕의 먹이로
전락하지 않길
바라.

…분신
인형소환?

강제 송환
마법진…

…고작 이런
하급 마법에 가두고자
도발하였다고?
막을 수 없으니
있던 곳으로
돌려보내겠다?

피식

르네…
네놈다운
짓이로군.

촤
아
아
악

터엉
텅

척

구안.
그리 안념하지 마시오.

내가 이곳에서 얻고자 했던 것은 이미 모두 얻었으니…

푸쳇

…돌아온 것을
후회하게 될 거요.

슈르르륵
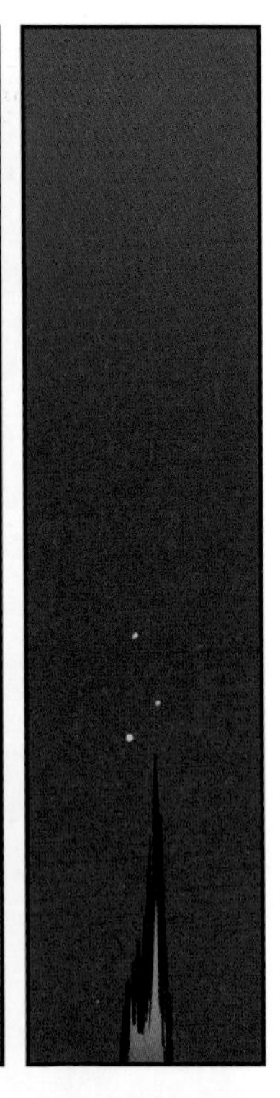

스스스

퐁

마법사랑해

휘
이
이
이

으득

…그대가 숨을 쉬고 있는 것만으로 기적이야.
더이상 무리하지 마시게, 라시아.
끄으으

포르
포르
마력은 고갈됐고
온몸의 뼈는 남김없이 부서졌을 터…

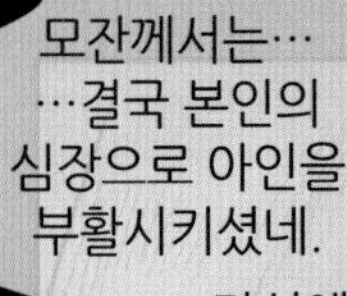
모잔께서는…
…결국 본인의
심장으로 아인을
부활시키셨네.

자신에게는
마왕의 것을
심은 채 플레게톤과
대적하고…

…자멸을 택하여
모비얀트의
마법사들을
구하려 하셨지.

라옴이
그녀의 이성과
마나를 갉아먹고
있는 와중에도…
…예지된 죽음에서
자네의 영혼을 구하고자
차원을 여는 무모한
위험을 감수하신 거야.

후둑
가장
가까운 곳에
있으면서도…
…혼돈 속에서
고독히 방황하는
그녀에게 아무런
도움이 되어드리지
못했어.

지금 겪는
고통쯤은…
으득
…내게 몹시도
사소하네.

피요옷!!
터억

스르-

르네, 라시아의 의식이 몹시 미약하다.
바토의 숲에서 안정을 취할 수 있게 돕거라.
이곳은 내가 정리하마.

포스!!
척

슈슉
바들
바들

덜
덜
덜
그대는
주인의 지혜와 마력을
나누어 받은 용맹한
마물이군.
턱

절망과
공포로부터…
잘 버텨주었다.
두려움을 거두고
지켜낸 작은 영혼을
이제 내게 맡기어라.

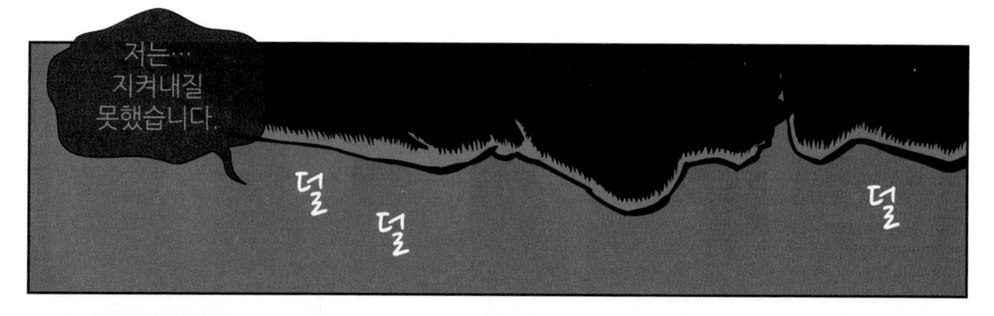
저는…
지켜내질
못했습니다.
덜
덜
덜

주인께 면목이…
슥

개의치 말거라.
네 탓이 아니다.

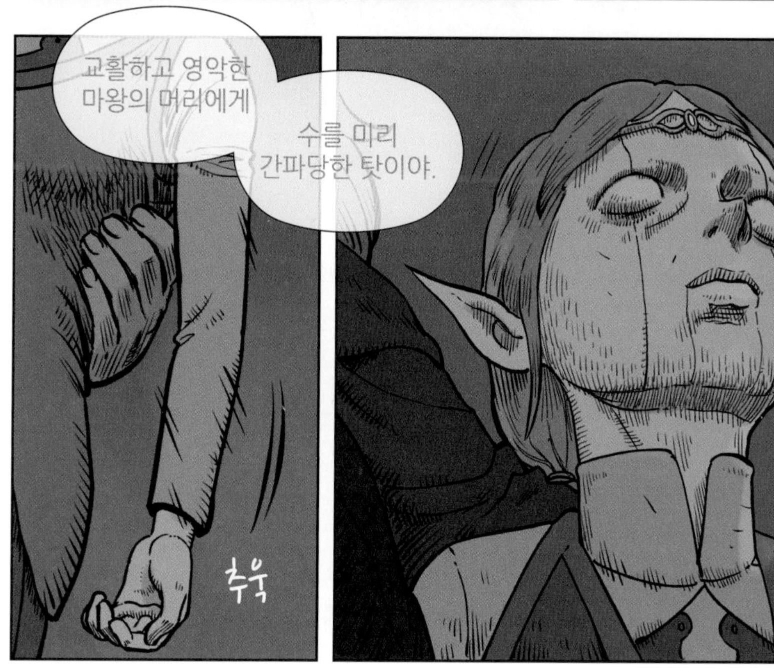
교활하고 영악한
마왕의 머리에게
수를 미리
간파당한 탓이야.
덜그럭
추욱

…내려놓으시오!

저…
저하!?
벌떡
…?

촤
아
아
내
동생에게서…

…물러나라
하였소!
처억

슥

유노…

다행히
왕가의 핏줄 중에
인간의 언어를
익힌 자가 있었군.
허나
이리 늦으니
오해가
쌓일 수밖에…

싸우자 온 것이
아니니 적개심을
거두시게.

구안
마법제님!!
어찌된
일입니까?
타앗

척
자초지종은
차후에 듣더라도

너까지 나서
다른 형제들을
동요케 하지 마라.
그들의 눈엔 이미
새턴의 허상조차
보이지 않을 것이다.
라시아
스승님께서는…
…새턴은요?

파
스
스

애석하게도…
스
스
스
…그대의 동생은
구하지 못했네.
꾸욱

척
저 빌어먹을
인간 놈이 지금 뭐라고
떠드는 거지?
애초에 여긴
어떻게 들어와
있는 거야?

게다가 쥬피터,
넌 망할 인간 언어를
언제 배운 거냐?
……
아무려면 어때?
상관없지.
말로 할 게
아니라
지금 당장…
마르스.

국본께서
말씀 중이시다.
함부로 건방지게
끼어들 생각 마.

……

췟

저하!!
적어도 목숨을 바쳐
이 땅의 재앙을
막으신 분입니다.
부디 더이상
오해가 없으시길…

그대들이 무슨 일을 꾸미는지 관심이 없소.
저벅

허나 그것이 나의 백성을 해치는 일이라면 얘기가 다르지.
이해를 완성할 설득이 필요하오.

선대와 인간과의 갈등엔 더더욱…
저벅

희생된 백성들과 사라진 동생에 대한 최소한의 예의를 갖추어
나와 나의 형제들을 납득시켜주시오.

그리 약속해준다면…
…미약하나마 그대들에게 힘을 보태겠소.

누구
마음대로…

유노?

중얼
중얼
배은망덕하고
파렴치한
인간의 피가
흐르는 돌연변이들
주제에…
…감히
턱

감히 누구
마음대로!!

투둑
툭
아···
아아···
······

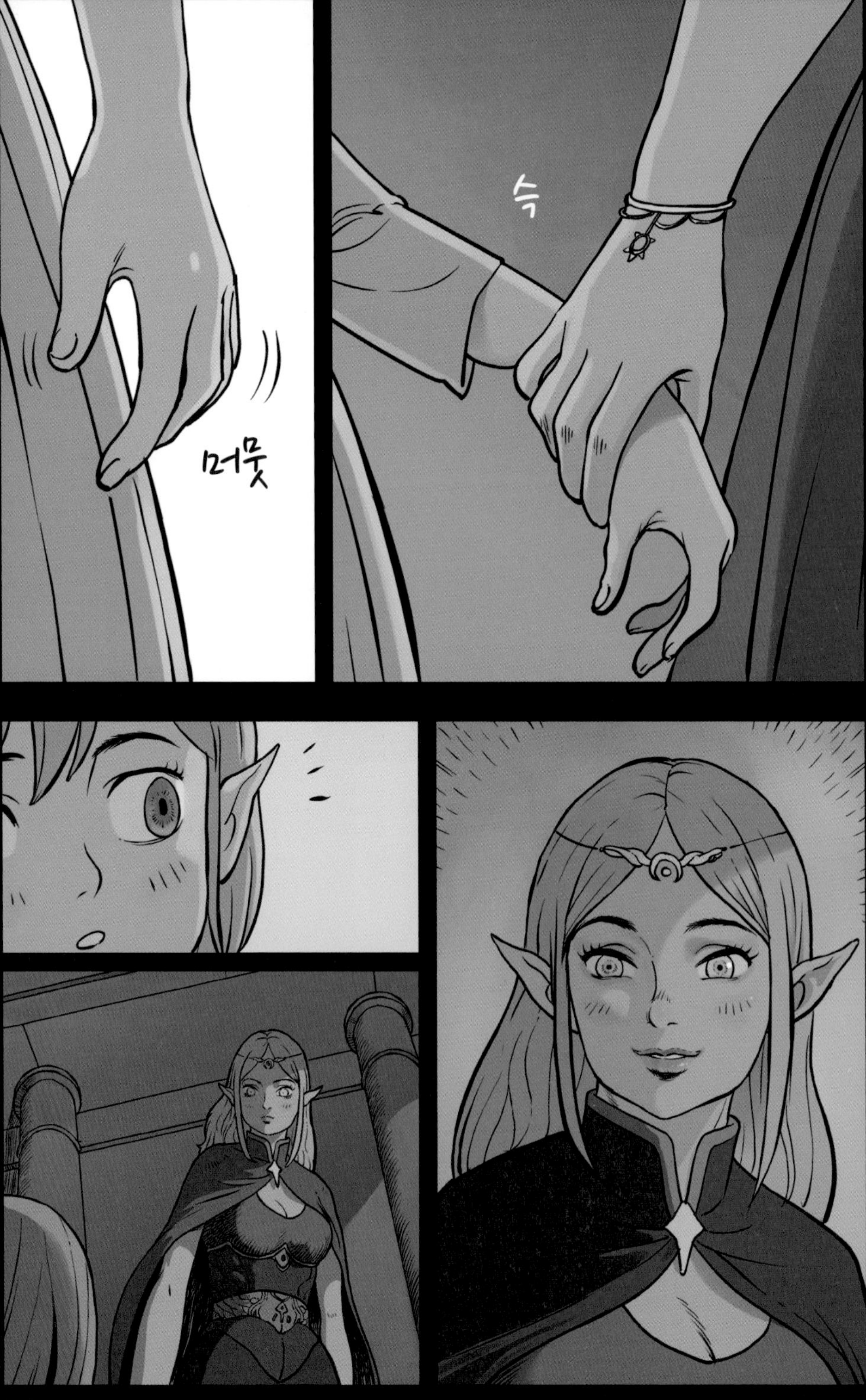
머뭇
스윽

으으…
으아아…

마마!!

어찌 그러십니까?
어디가 불편하셔요!?

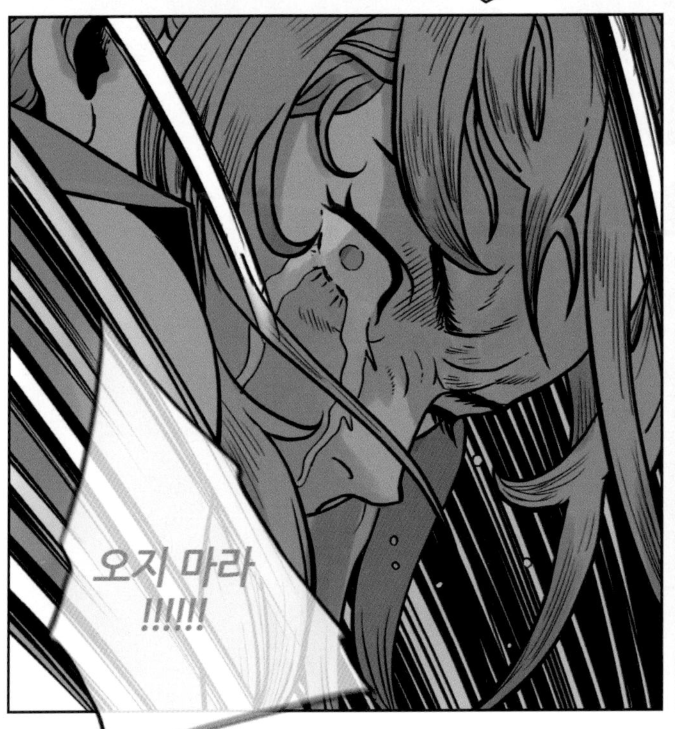
오지 마라 !!!!!!

촤
아
악

기개
엉

스
스
스
스

하아아

…가까이
오지 마.

더이상
누구도 내게…

마법사랑해

푸욱
푹

푸욱

네놈이…
주르륵
…마지막이렷다!

촤악

하아
하아

흥!
꼴 좋군.
하아
감히
신성한 네오피테의
땅에 침범하려 든
대가다.

구
구

구
구
구
구

구
구

저적

저저저적

쿠
우
우
우

!!

…어째서
대정령 에시아여.
어찌하여…
…저희를
저버리시나이까?

끄거
엉

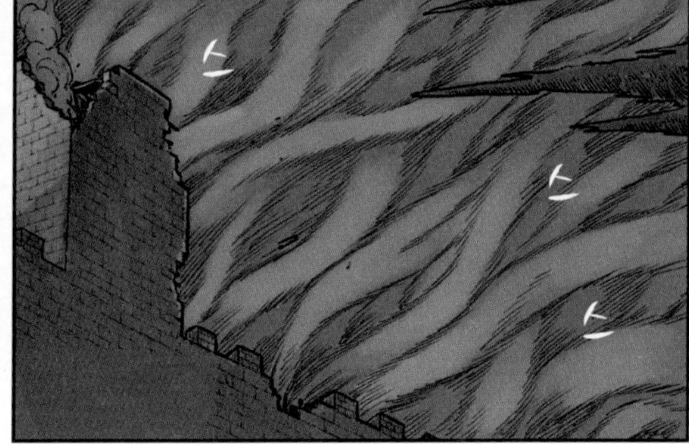
스
스
스

……

*모이라 : 할당된 운명.

…무엄하다. 유노!!
왕에게 성심을 맹세한 자로서 어찌 그런 말을…

이미 아케론에게 영혼이 잠식되어
마왕에게 모이라*를 바친 껍데기에 불과해.
비틀

소용없는 일이네, 왕자여.
더이상 자네가 아는 존재가 아니야.
…?

끄득
아둔한 인간들의 종자라면 이제 환멸이 난다.

내 일생을 빼앗아 간 것으로도 모자라…
중얼
중얼
…결국 이 땅을 종국으로 내모는구나.

중얼
중얼
왕의 비탄으로 깨어나신 코키토스여.

웅
웅
공명한 저의 영혼을 거두시고 부디…
웅

파앗
인간들을 멸하소서.

슈
우
욱

이런…!

촤 아
아

머큐리!!

!!
파
아
아

번
쩍

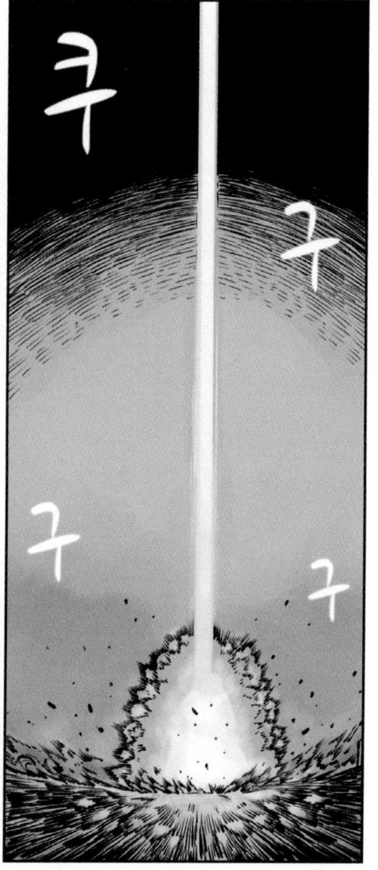
쿠
구
구
구

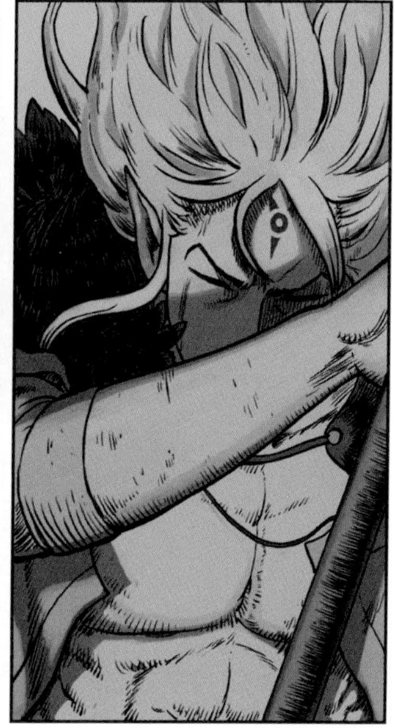

이 한기는…
…대체 뭐지?

난
죽은 건가?
이곳은 대체…

근심하지
마서어요.
터억

멜른…
…나의
지엄하신 왕이시여.

부디 이곳에서
못다한 영생을
저와 함께…
유노…
…그대는 어찌
나를 그 이름으로
부르는가?

!!
머큐리!?

오라버니!!

타
다
닷

덥석
가면 안 됩니다!
마왕의 몸이 깨어나고 대기마저 얼어붙고 있어요.
쥬피터…
마력이 있는 존재는 모조리 집어삼킬 겁니다!!

…이 손
놔라.
머큐리는
아직 살아있어.
내가 알 수 있다.
당장 구하지
않으면…
…놓을 수
없습니다!

더이상…
형제를 잃을 수
없어요.

손
놓으라고!!

촤
악

젠장!
그럼 빌어먹을
언제까지 보고만
있으라는 거야?

마르스!

…뭔데
이건 또!?

뭐…

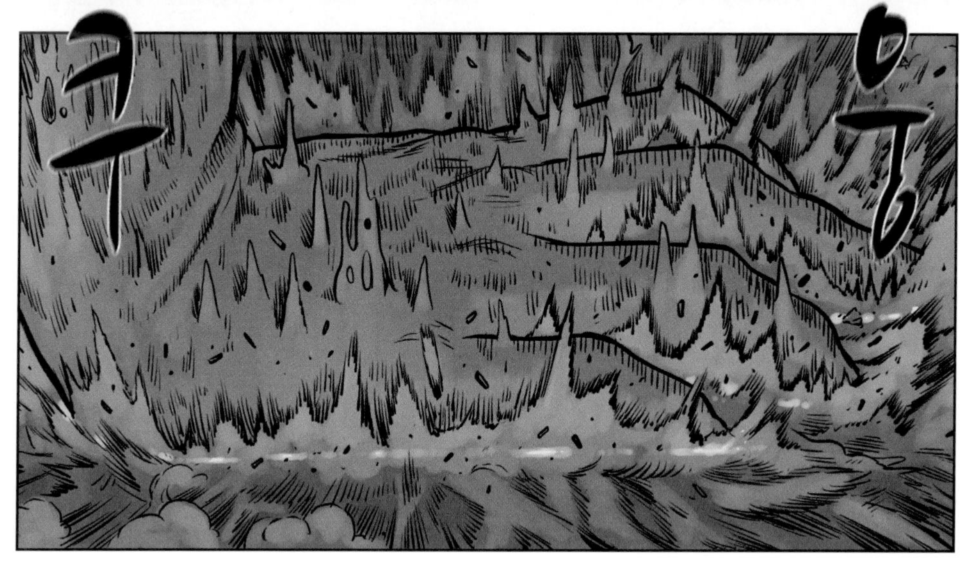
쿠
웅

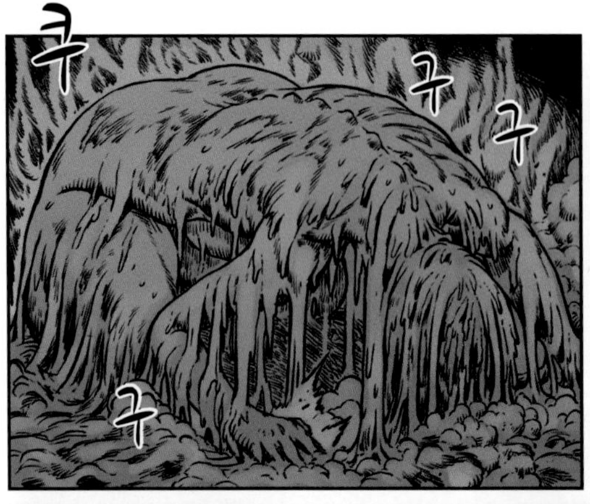
쿠
구
구
구

쿠
궁

코키토스
마왕의 몸통

…깨어났군.

아쉽지만…

췻

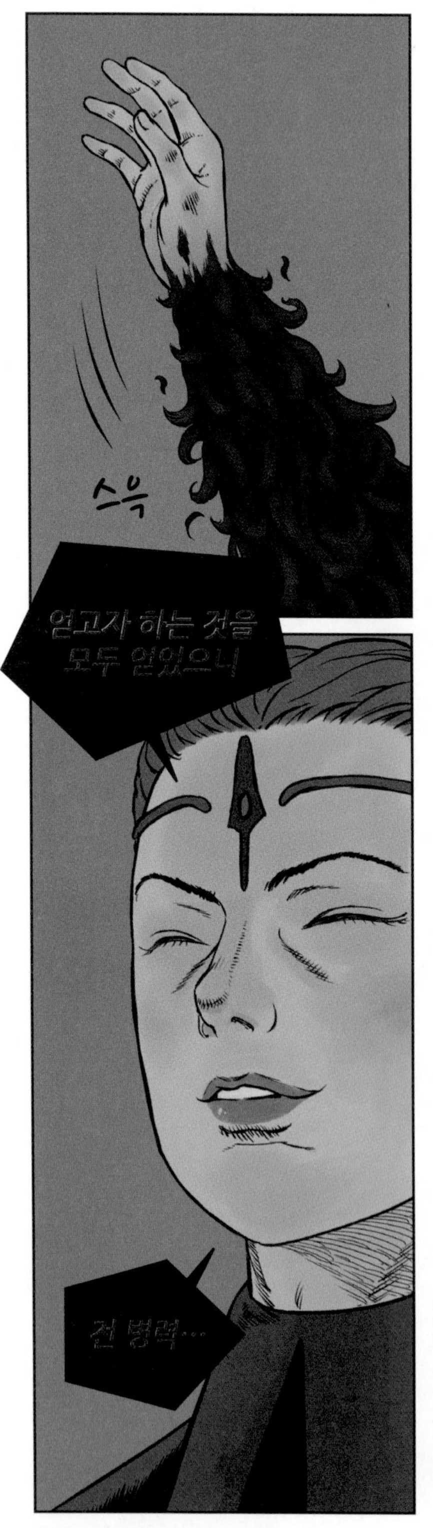
스윽
얻고자 하는 것을
모두 얻었으니
전 병력…

…회군한다.

마법사랑해

이… 이게 무슨
변괴란 말입니까!
그 어느 때보다
축복 가득해야 할
대정령의 밤…
…왕후의
낙사라니?

쉬이~
목소리를
낮추시게.

수군
에시아의
저주가
분명해!
애초에
외부인과 혼인하여
엘프들의 왕후로 세운
왕의 잘못이요.
수군

운명처럼 이끌린
두 영혼의 조우와
갈 곳을 잃은 안타까움은
결국 비극을 불렀다.

콰 앙
유노!!!

거짓말이다,
그렇지!?
아… 아아…

왕인 내가
묻고 있다.

화악
움찔

덜
덜
덜

거짓이라
답하라!

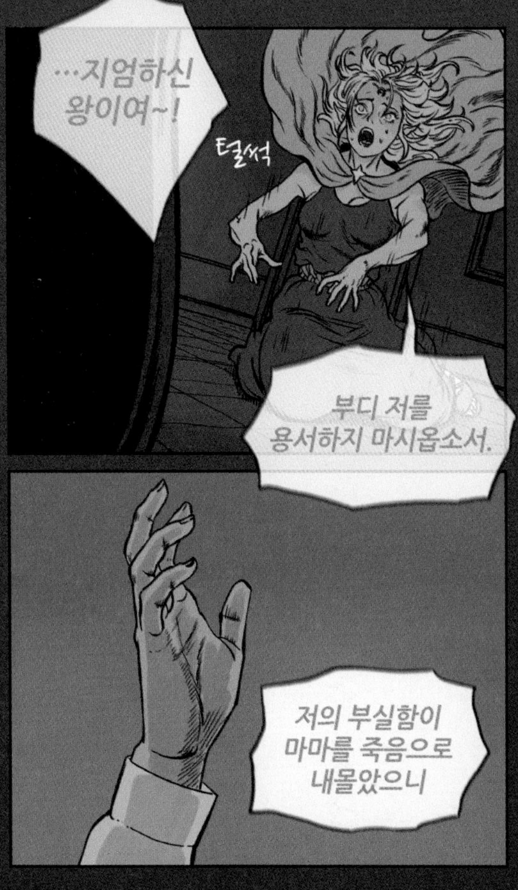
…지엄하신
왕이여~!
털썩
부디 저를
용서하지 마시옵소서.
저의 부실함이
마마를 죽음으로
내몰았으니

저의 죄를 꾸짖고,
죽음으로써…
…저를
벌하여
주십시오.
덜
덜
덜

베스타…

…너는 죽어서도
여전히 강샘이 일게
하는구나.
슬쩍

네가
이곳에 오지
않았더라면…
내가 너의
손을 그리 잡지
않았더라면…

너의 미소가
그를 향하지
않았더라면
…일어나지
않았을 일들이다.

그의
눈물은 차갑고도
지엄하니

나의 존재는
그에게 있어…
…여전히
너무나도
하찮구나.

화르르
모조리 태워
사라지게 하라!
화륵

화르르르
이 땅에
페어리의 숲은 더이상
존재치 않게 하라!!
그녀의 죽음을
저주라 비웃는 자는
누구라도 용서치
않을 것이니
붉은 달이 뜨는
노아의 밤,
그 누구도…

…웃음 짓지
못하게 하라.

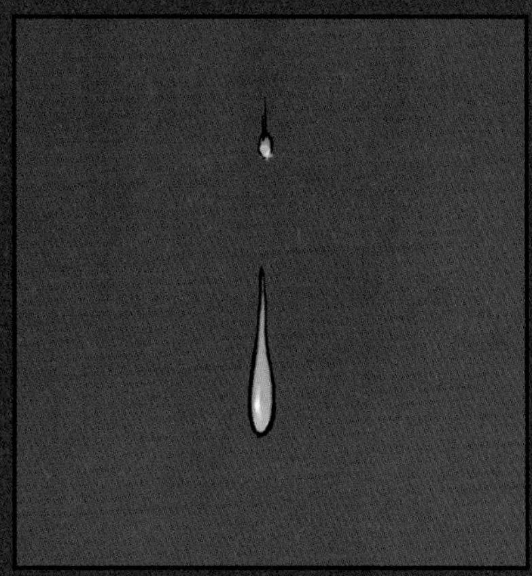

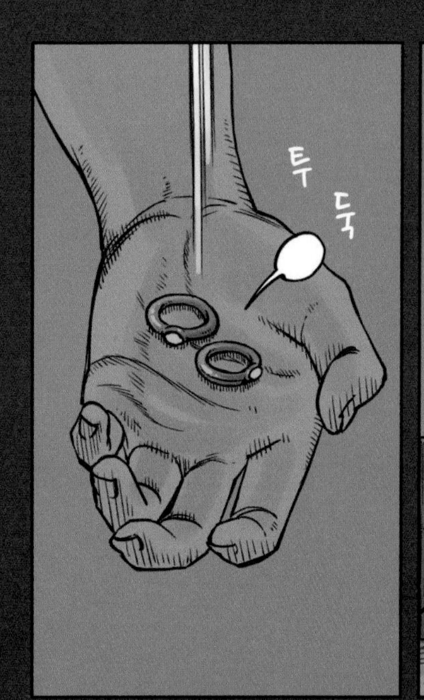

투 둑

반지…라니, 뜬금없군.
반응이 뭐 그래? 얼마나 힘들게 만들었는데…
…마음에 안 든다는 거야?

아인이 생겼다고 신이 나서 자랑을 늘어놓을 때는 언제고.
자랑이라니, 내가 어찌 그대 앞에서…

뭐야? 또 그 표정이군.
설마 감정도 없는 자가 지금 친구의 슬픔을 위로해보겠다 애라도 쓰는 겐가?
……

아아~ 그만둬.
이미 오래전
일이잖나~

되새기지 말고
더이상
마음도
쓰지 말게.
턱

긴 세월만큼이나
감정이 무뎌지는 것은
엘프만의 장점이야.

나의
가장 가까운 벗,
랑데르케셀.
나는 그대가
인간임에도…

…죽음으로부터
안전한 존재이기에
감사하네.
알고 있나?

그 반지는
그대와
그대의 아인이
영원하길 바라는
나의 바람이야.
부디 그 마음을
잘 간직해주게.

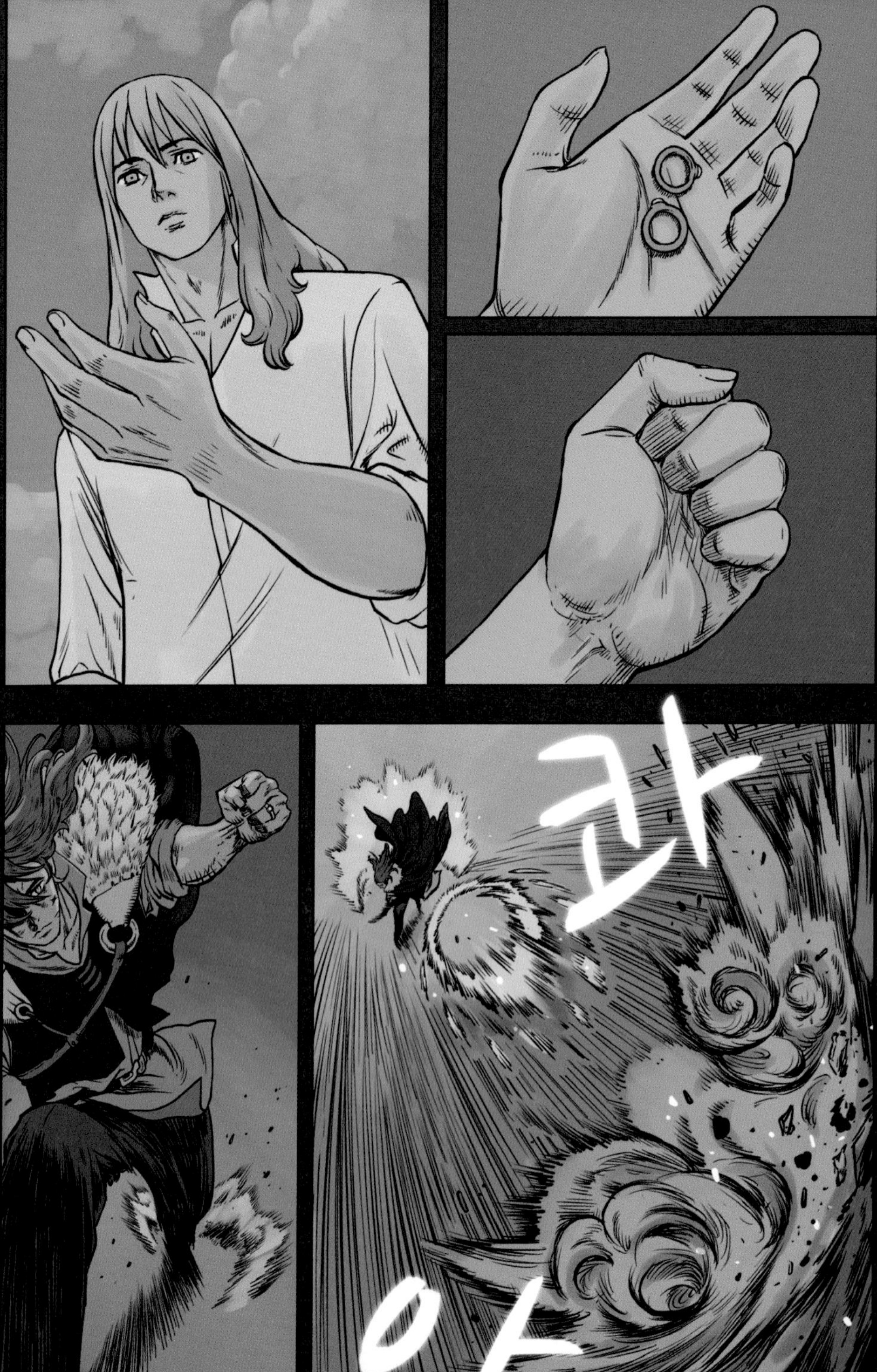
콰앙

쿠
우
우
우

이런 빌어먹을 놈이…
크윽
…다짜고짜 가방 속으로 불러내서는 제자 자랑이나 실컷 늘어놓더니
울컥
울컥
이젠 그 잘난 마법 실력 자랑이라도 하고 싶은 거야?

치고받는 건 이쯤하자, 멜른.
스윽
슈
우
우
눈치채고 있겠지만, 자네와 비등하게 견주어 싸운 것은
자네가 지닌 그 방대한 마나를 모두 소진시키기 위해서야.
그렇지 않고서야 이 정도 가방의 결계쯤은 가볍게 부수고 나올 테니까.

잘난 척 마라,
랑데르.
구
구
나야말로
아직 본격적으로
시작도 안 했거든?
구
꾸욱
친구니까
이 정도로 봐주고
있는 거라고…


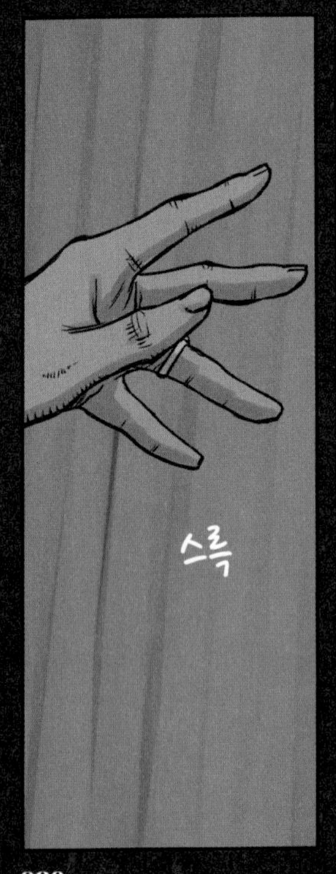

스륵

!!
철컹
철컹

얀마!!
쿠웅

파지지직

멜른.
슥
나의
가장 가까운 벗.
위대한
창조술사여.
처억

끄으으으으

파직
죽지 마라.
네가
죽으면 새로운
미래가 없어.
파지직

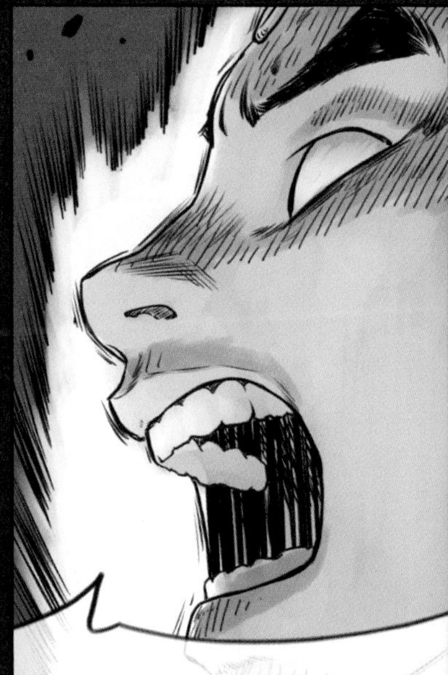
아파, 미친 놈아!
진짜 아프다고!!

저벅
내가 죽고 난 뒤
모잔은 가장 가까운 벗에게 그간 습득한 마법의 지식을 나누게 된다.
파멸의 서를 훔쳐본 대가로 영원히 시력을 잃게 되겠지만
젠타, 그 아이는 머지않아 너와 같은 '창조의 마법'을 초월하게 되지.
뭔 헛소리야, 진짜!!
덕분에 더 많은 것을 보게 될 거야.
크흑…
…야! 어디가!!
암만 그래도 이래 놓고 가는 건 아니지!!

거기 안 서!?
이러다 진짜
나한테
죽는다!?
나 지금
엄청
열받았거든!?
파직
파직
왜 저래, 진짜?
죽으려고
결심한 놈처럼…

맞아.
내가 죽어야
나의 예지가
끝이 난다.

먼 훗날
내가 죽고 나서도
아주 많은 시간이 지나
그대가 모잔의 친구를
만나게 되거든…

…그대들이
초월한 마법의 힘으로
새로운 미래를
창조해다오.

…친구로서의
마지막 부탁이네.

친구…

…같은
소리하고 있네,
망할 자식.
턱
그 귀한 반지를
애초에 주는 것이
아니었어.

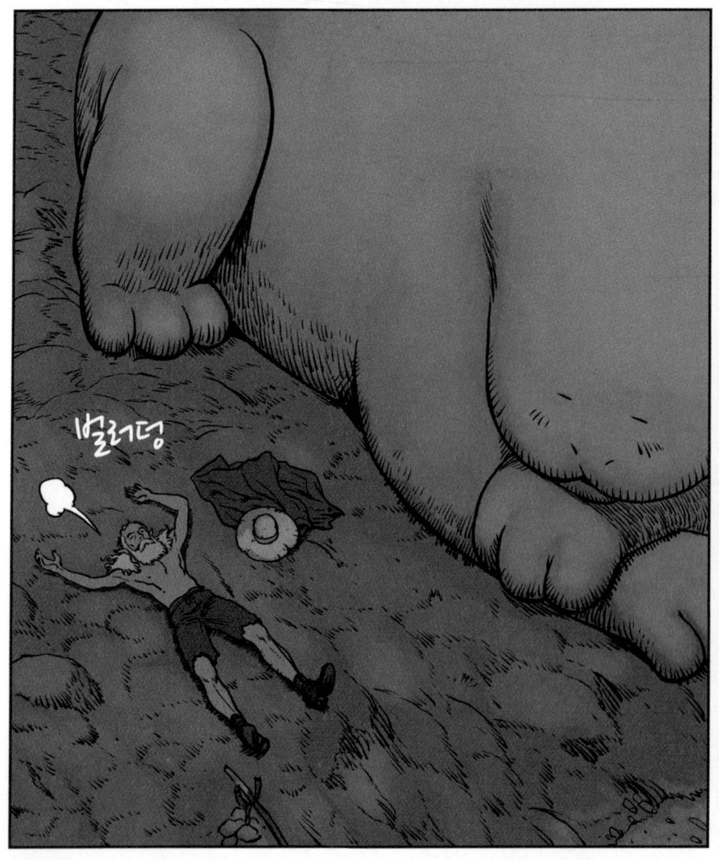
벌러덩

6권으로 이어집니다.

## 특별 권말부록

# 마법사랑해

## 작업 비하인드 해설집

매력적인 캐릭터와 방대한 설정으로
회를 거듭할수록 재미를 더하고 있는 정통 판타지 『마법사랑해』.
과연 이 작품은 어떤 식으로 원고 작업이 진행되는지 궁금하실 텐데요.
5권에서 인상적이거나 심혈을 기울인 몇 장면을 선정해
명랑 작가님의 해설과 함께 부록으로 담아봤습니다.

① 51화 中 - 회한에 잠기는 랑데르케셀의 감정을 묘사한 신. ①-1. 콘티

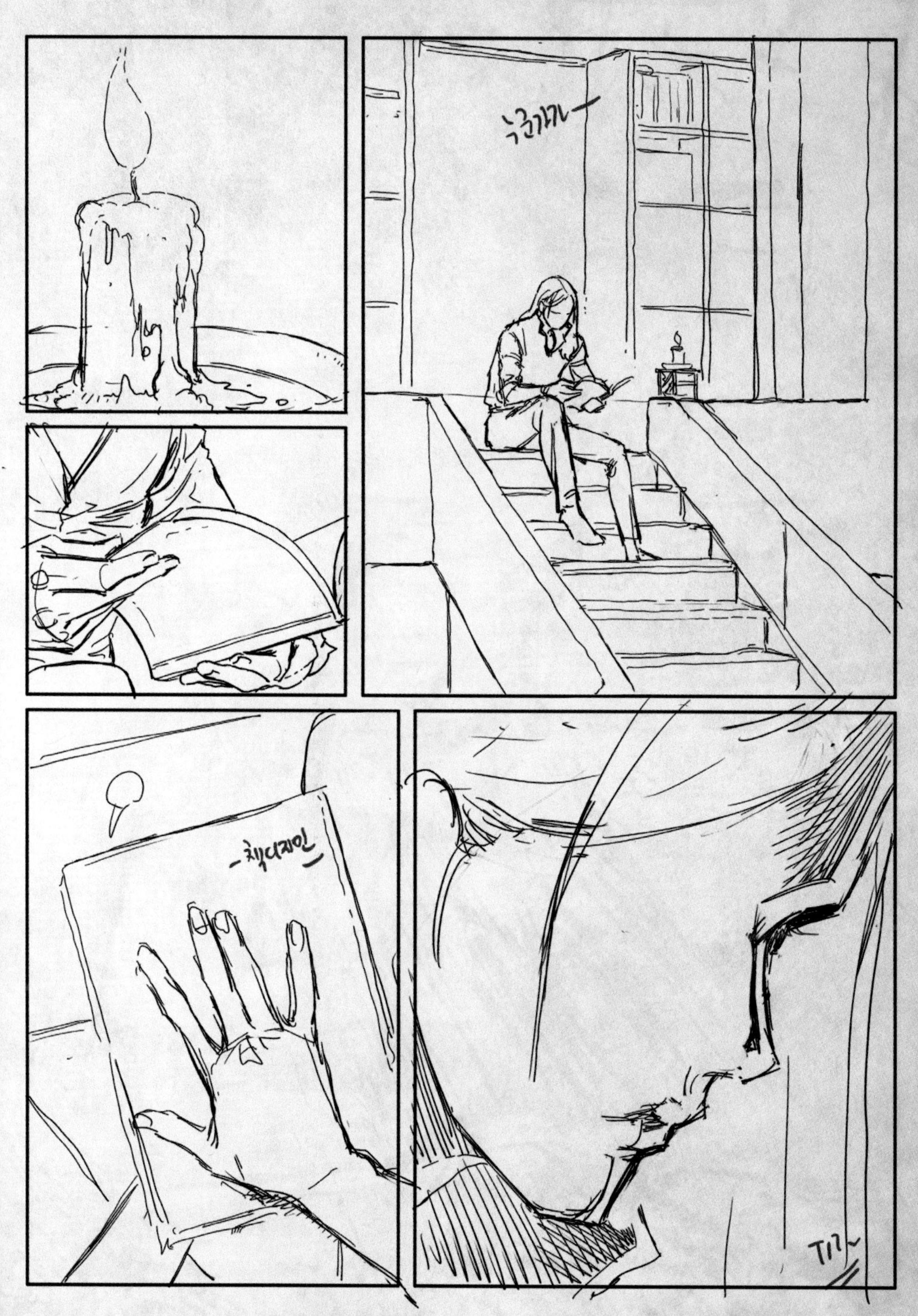
누군가가—
-책디자인

## ①-3. 1차 원고

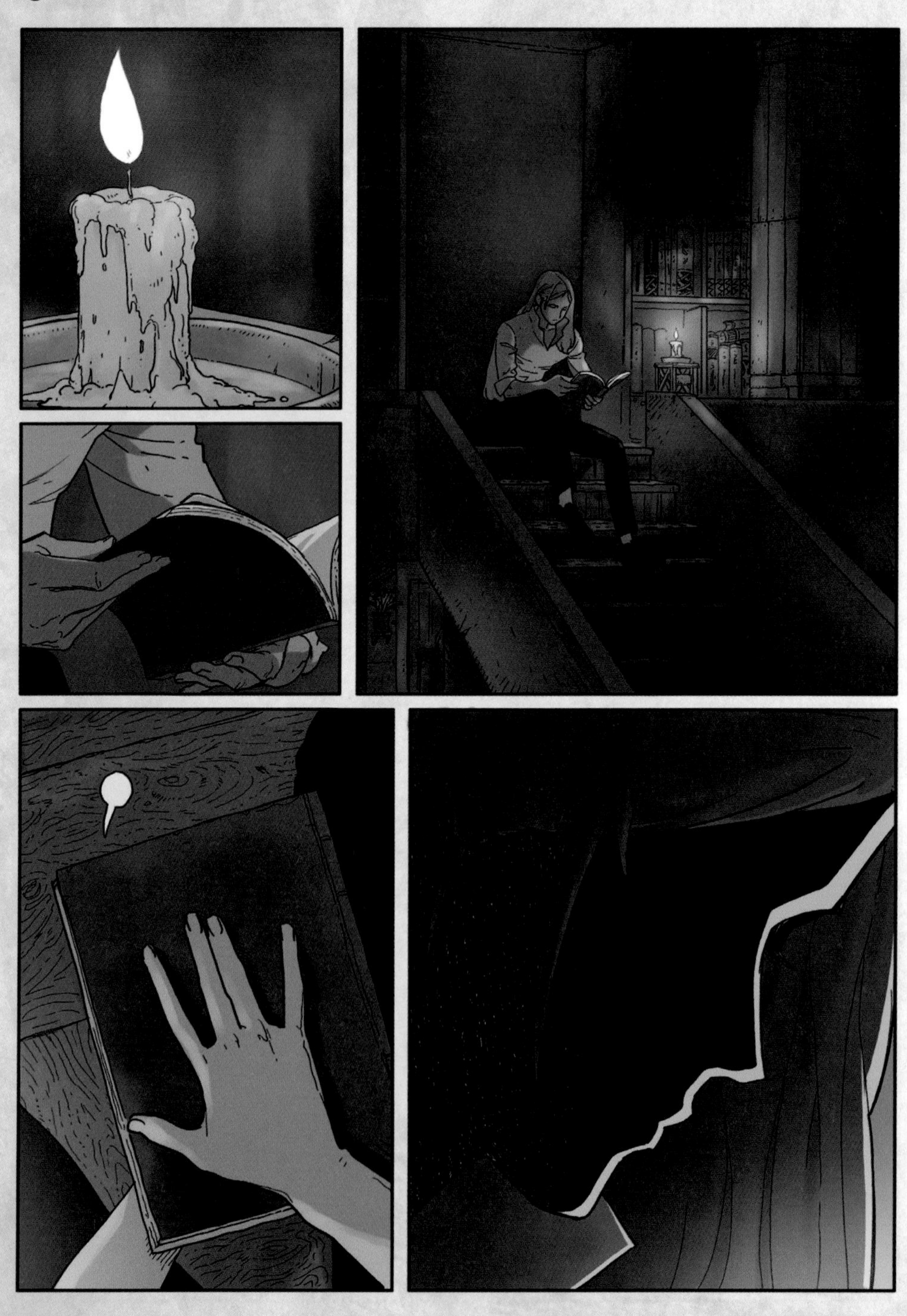

랑데르케셀이 자신의 예지를 수없이 다시 써보지만 결국 바뀌지 않는 미래를 보고 생각에 잠기는 신입니다.
모든 것은 자신의 생각대로 이루어지기에 결국 자신이 사라져야 미래를 바꿀 수 있다는 것을 깨달음과 동시에
모든 것을 알던 그가 아무것도 모르는 스스로에게 회한을 느끼는 표정을 어떤 얼굴로 그릴지 고민이 많았습니다.

## ①-4. 2차 수정원고

감정이 없는 그이기에 무표정하되 놀라우며, 허무하고 슬프되
혼란스러움을 표현하는 방법에 대해 고민하다 여러 차례 수정되었답니다.

**② 51화 中** - 유노의 지나친 감정과 저지하는 멜른의 감정.

일반적인 대화 장면이지만 질투의 대상인 베스타가 죽은 뒤에도 오랜 시간 상대에게 연정을 품고 있는 유노의 감정과 그런 그녀에게 친구 이상의 감정에서 거리를 두는 멜른의 상태를 표현할 수 있는 연출 방식을 고민했었습니다.

유노는 무방비 상태의 멜른에게 한 걸음, 멈춰서야 할 거리를 벗어나 한 번 더 다가가는 것을 표현.
사정거리를 지나쳐 접근하는 유노의 어깨를 잡으며 거리를 두는 멜른입니다.

다시 보면 별것 아닌 신이었는데 이 시퀀스를 그릴 때는 청설모 작가님과 엄청 많은 토론이 오가서 기억에 남는 신이네요.

## ③ 52화 中 – 마르스와 라시아의 전투 신.

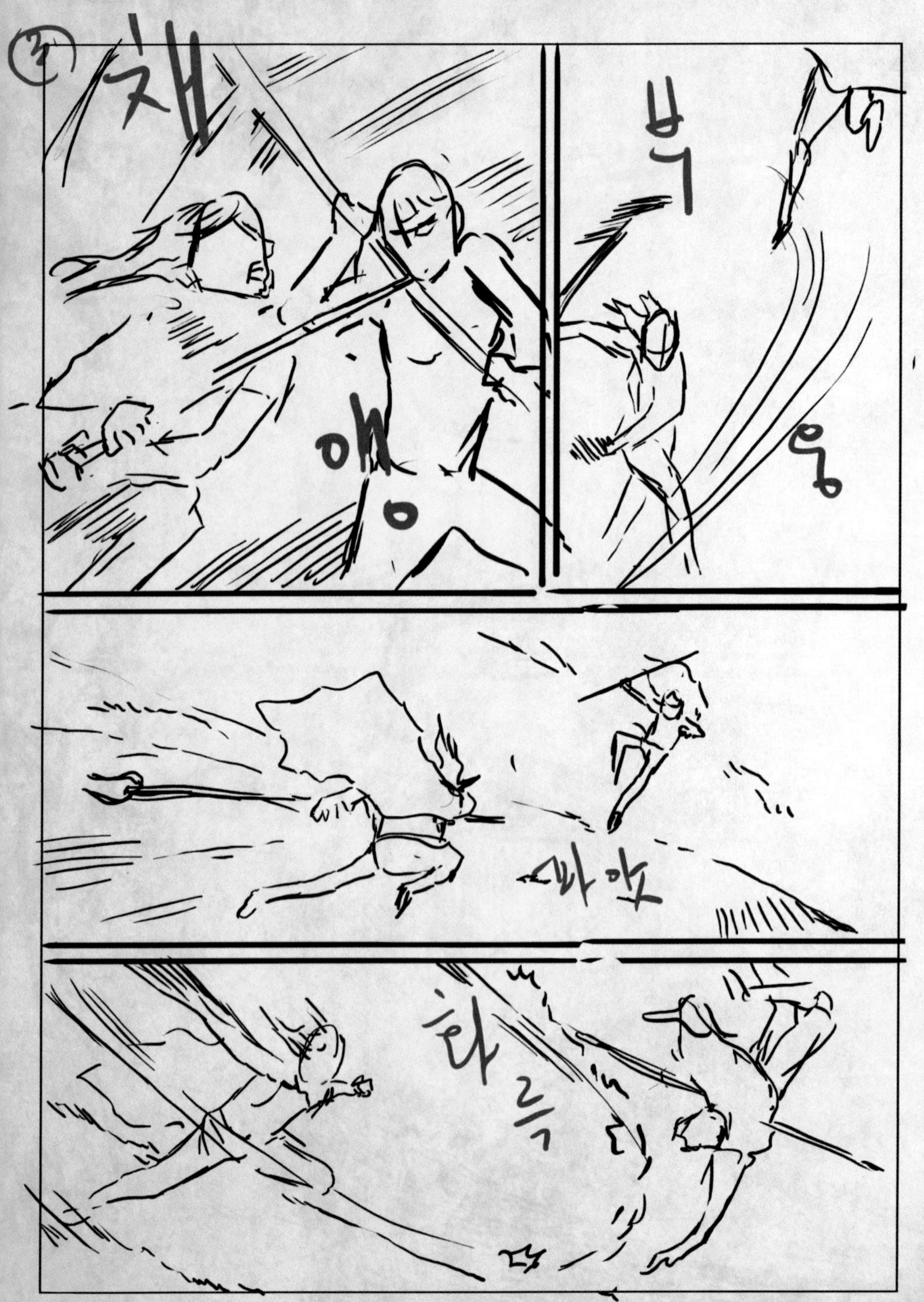

불의 검
순간적으로
창이·검의 형태로

## ③ 52화 中 – 마르스와 라시아의 전투 신.

액션 연출은 대부분 청설모 작가님에 의해 많이 바뀌는 편인데 콘티 상에서는 서로의 적대감이 강하게 표출되고 살의를 띠며 싸우는 모습이지만 원고에서는 좀더 라시아의 우월한 실력을 표현하고자 콘티보다는 더 여유롭게 공격을 받아주는 느낌으로 수정되었습니다.

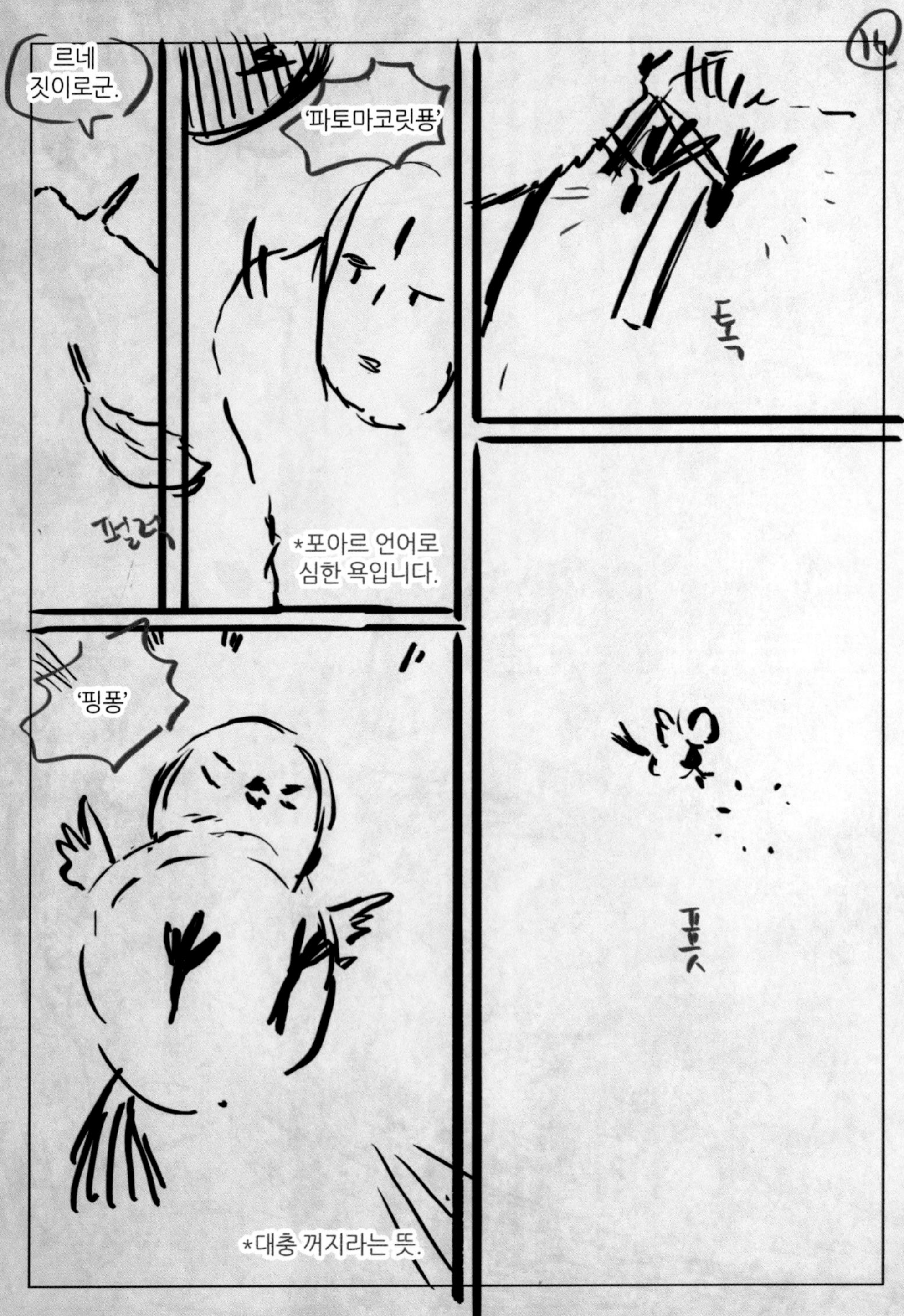
르네
짓이로군.
'파토마코릿퐁'
펄럭
*포아르 언어로
심한 욕입니다.
톡
'핑퐁'
*대충 꺼지라는 뜻.
퐁

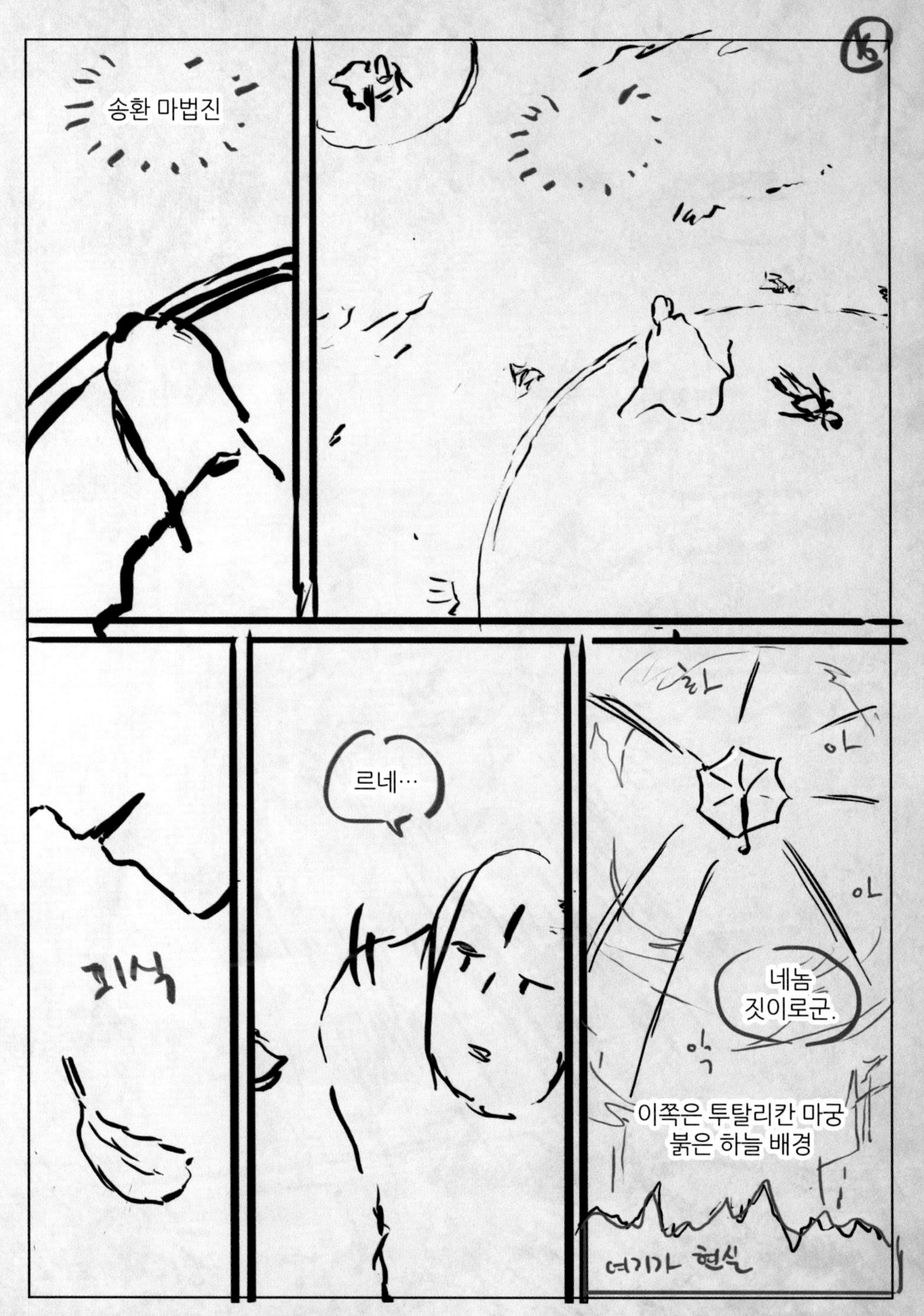


초반 콘티에서는 올려보는 에드바르의 이마를 르네가 직접 타격하여 사라지게 만드는 장면으로 그려졌으나
라시아나 구안과 대등하게 싸우는 에드바르의 실력을 감안해서 불가능하겠다고 판단,
밸런스를 생각해서 삭제하였습니다.

## ⑤ 64화 中 – 삭제된 콘티.

투명 녹색 액체 느낌의 양서류,
손발은 무수히 많은 산호 느낌
디자인 바뀌어도 상관없음
고대 정령의 수호수…
가이아?

## ⑤ 64화 中 - 삭제된 콘티.

영혼이 빨리듯 멍해지는 눈동자, 머큐리
단순한 사람,
눈사람 형태로 상체가 변함
불투명
내려보는
눈에서 빛
이런!!
정신 차리게!

닿으면
안 됩니다!
가이아는
선악의 구별이 없는
순수의 존재
양분을 채우기 위해
주변 마력이 있는
존재는 모조리
집어삼킬 거에요.
액체에 녹아든 머큐리
젠장!
그래서 빌어먹을
보고만 있자는
거야?
마르스!

## ⑤ 64화 中 - 삭제된 콘티.

정령이든 뭐든 죽인다 너어!!
타
다
다
닷
위험합니다!!
콰
악
좀 나서지 마십시오! 주인!!!
제발
누… 누구세요?
누가 보고만 있는다고…
가이아가 아니야.
척
정령이라고 하기엔 악의로 가득차 있다.

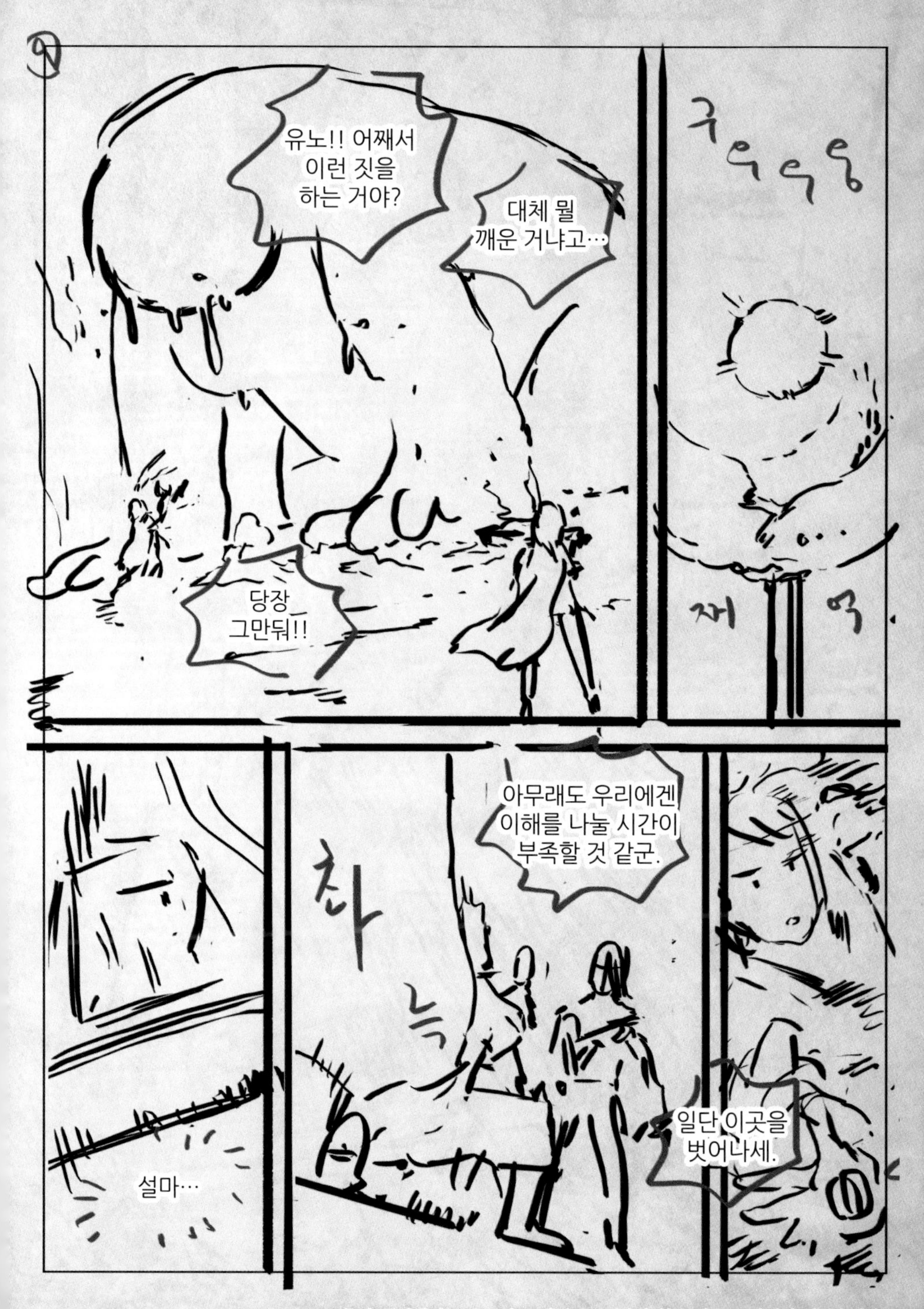


초반 콘티에서는 유노가 고대 수호수 '가이아'를 깨우는 장면이 있었습니다.
가이아가 머큐리를 삼키는 사이에 구안이 나머지 형제들을 소환시키며 살려내는 신이었고
그 후에 가이아와 유노가 융합되면서 코키토스가 깨어나는 연출이었습니다.

## ⑤ 64화 中 – 삭제된 콘티.

전개상 너무 복잡하고 유기체로 합쳐지는 중복 컷들이 많아 시퀀스 자체를 드러내고
유노의 단독 융합 신으로 교체되었습니다.

마법사랑해